D0293144

LE GUIDE QUÉBÉCOIS DES
PELOUSES
ARBRES ET ARBUSTES

Cet ouvrage a été originellement publié par
Summerhill Press Ltd.
5 Clarence Square
Toronto (Ontario)
M5V 1H1

sous le titre:
LAWNS AND LANDSCAPING

Publié avec la collaboration de
Montreal-Contacts / The Rights Agency
C.P. 596, Succ. «N»
Montréal (Québec)
H2X 3M6

LES ÉDITIONS QUEBECOR
Une division de Groupe Quebecor inc.
4435, boul. des Grandes Prairies
Montréal (Québec)
H1R 3N4

Distribution: Québec Livres

Tous droits réservés. Aucune partie de ce livre ne peut être reproduite ou transmise sous aucune forme ou par quelque moyen électronique ou mécanique que ce soit, par photocopie, enregistrement ou par quelque forme d'entreposage d'information ou système de recouvrement, sans la permission écrite de l'éditeur.

MARK CULLEN

LE GUIDE QUÉBÉCOIS DES PELOUSES ARBRES ET ARBUSTES

PRÉFACE DE MARC MELOCHE

Traduit
de l'anglais
par
MONIQUE PLAMONDON

Les Éditions Quebecor

Un aménagement bien planifié autour d'une maison peut accroître considérablement la valeur en plus d'améliorer grandement la qualité de vie des occupants. Malheureusement, les déboursés souvent considérables qu'entraîne l'achat d'une maison ne laissent aux nouveaux propriétaires qu'un bien maigre budget à consacrer à l'aménagement paysager. Comme les services d'un paysagiste s'avèrent plutôt coûteux, la tentation de réaliser nous-mêmes notre terrassement devient alléchante. En plus de nous faire économiser, cette solution nous permet de découvrir les joies et les plaisirs du jardinage.

Mais encore faut-il savoir par où commencer. Le présent ouvrage résume bien, de façon claire et concise, la méthode à suivre pour mener à bien notre aménagement paysager. L'auteur énumère d'abord les outils qu'il faut se procurer tout en indiquant comment les utiliser et les entretenir. Vient ensuite l'implantation de la pelouse, puis la pose des arbustes. L'auteur explique toujours clairement les différentes étapes à respecter tout en incluant une foule de précieux conseils sur l'entretien général. Il consacre même un chapitre à l'art d'attirer les oiseaux.

Le lecteur trouvera aussi en fin de livre une liste fort intéressante des variétés d'arbustes et de conifères disponibles à la pépinière. Pour chaque variété l'auteur indique la rusticité, la taille optimale et une courte description. Nul doute enfin que ce livre riche en contenu et en judicieux conseils, saura répondre à la plupart des questions sur le sujet.

Marc Meloche,
horticulteur paysagiste

À mon père et à ma mère;

pour votre temps, votre patience et votre sagesse.

«Il y a une chose qu'il est pratiquement impossible d'apporter dans votre jardin: la tension.»

Charles H. Potter,
jardinier

Table des matières

Lettre de Mark

L'aménagement de votre jardin est quelque chose d'aussi personnel que la décoration de votre salon. Vous pouvez planter des rosiers exubérants, style Louis XIV, semer une pelouse fine comme le lin et des jardins en petit point. Vous pouvez créer un effet saisissant, même extravagant, en laissant pousser les plantes où elles veulent, autour d'une pelouse rappelant un petit garçon qui aurait besoin d'une coupe de cheveux, ou vous pouvez opter pour la sobriété : un peu de sable, des pierres, et un lis unique comme seule couleur primaire.

La plupart des jardins sont des combinaisons de ces extrêmes, mais parfois le sable et les lierres se trouvent là où vous voulez semer votre gazon. Ce livre peut vous aider à mettre les choses à leur place et à les garder là où vous voulez.

Les gens dont le parterre est composé d'un sous-sol argileux à peine recouvert d'une vieille pelouse fatiguée apprendront comment créer une pelouse telle qu'on puisse s'y promener pieds nus du printemps jusqu'à l'automne. Les gens dont les buissons s'étalent partout de façon désordonnée trouveront des trucs pour en reprendre et en garder le contrôle. Vous lirez comment attirer les oiseaux dans votre jardin, choisir un arbre sain à la pépinière, le planter et en prendre soin pour qu'il produise l'effet que vous désirez. Vous trouverez aussi des informations qui vous simplifieront la tâche dans le jardin.

Travailler dans le jardin m'apporte, de même qu'à bien d'autres, une satisfaction spéciale. Le secret est de savoir quoi faire, quand et comment. Ce livre vous dévoilera le secret en question et vous permettra de jouir de la satisfaction qu'apportent le temps et les efforts dépensés dans votre jardin.

Joyeux jardinage !

Mark Cullen

Carte des zones climatiques

La carte géographique ci-dessous vous donnera une idée de la zone climatique dans laquelle vous vivez. À cause des dimensions restreintes de la carte, certaines zones incluent différentes valeurs ; par conséquent, les sous-climats de petites régions climatiques ne peuvent être indiqués. Les régions situées au nord du Canada, où la carte se termine, peuvent être considérées comme faisant partie de la zone 0, une région impropre à la culture de la plupart des plantes.

Vous devriez comparer le numéro de votre zone climatique à ceux du tableau qui indiquent les zones les plus favorables à la culture de chaque plante particulière. Par exemple, une plante dite de la zone 5 peut vivre dans les zones dont le numéro est supérieur à 5, mais pas dans les zones dont le numéro est inférieur à 5. Ainsi, la plupart des plantes peuvent être cultivées dans l'ouest de la Colombie-Britannique, qui appartient surtout à la zone 9.

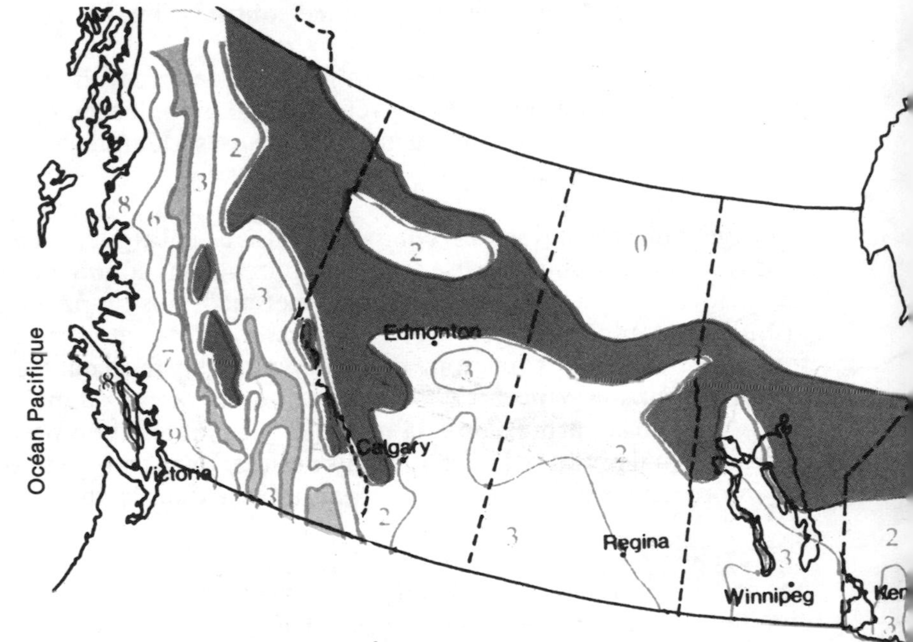

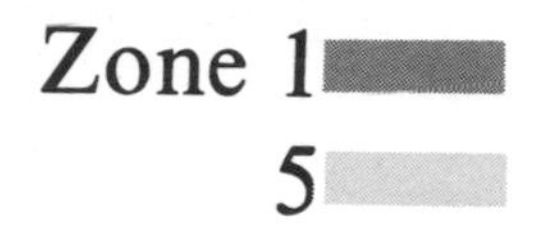
Zone 1
5

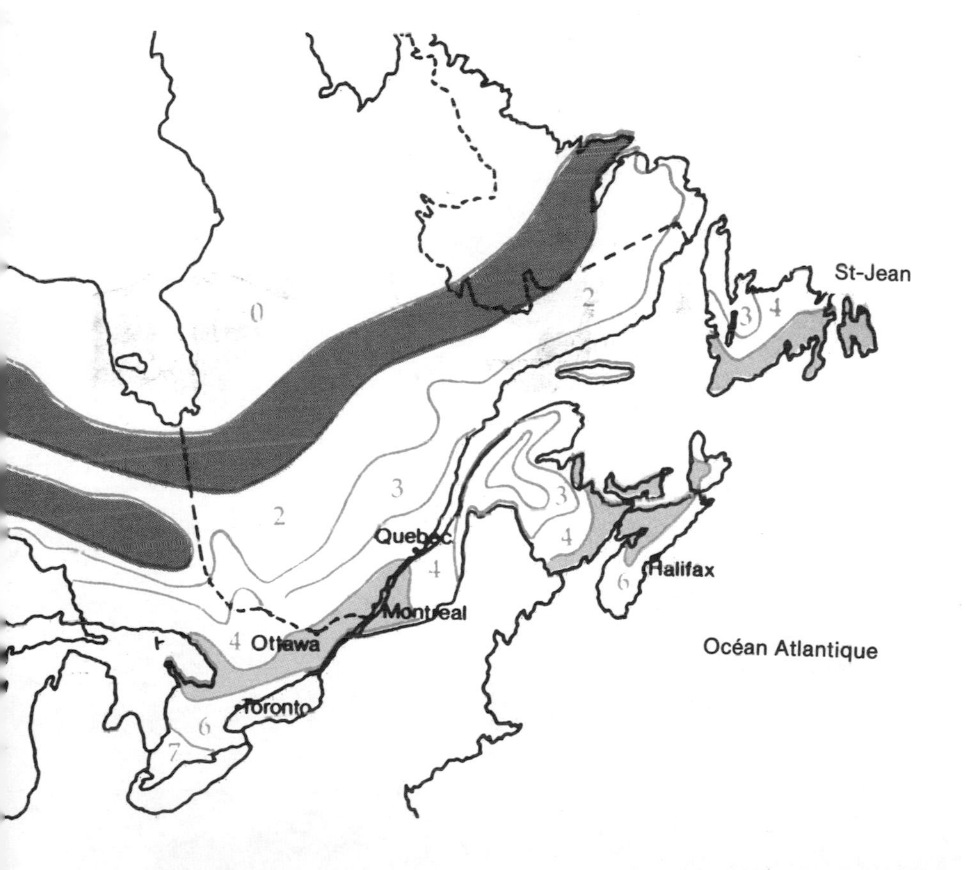
St-Jean
0
2
3
4
3
2
3
4
Quebec
4
3
4
6
Halifax
Montreal
4
Ottawa
Océan Atlantique
Toronto
6
7

Les pelouses

Chapitre 1

Les outils

Section 1 — Les pelouses

Les outils

On m'a raconté un jour l'histoire d'un touriste qui, songeant sans doute aux digitaires et aux pissenlits qui jonchaient sa pelouse dans son pays natal, s'émerveillait de la pelouse parfaite du King's College de Cambridge, en Angleterre. Le gardien du jardin s'affairait à l'entretien (probablement avec un ciseau à moustache) quand le touriste lui demanda comment il arrivait à garder la pelouse si belle. Le gardien lui répondit: «Tondez-la dans une direction pendant cent ans, puis tondez-la dans l'autre direction...»

Bien que la pelouse parfaite puisse sembler inaccessible, il est possible d'y arriver éventuellement et il n'est pas nécessaire d'attendre des centaines d'années. Il n'a certainement pas fallu des centaines d'années pour créer les pelouses des innombrables clubs de golf, sinon les pros du golf auraient fait faillite. Comme la plupart des choses dans la vie, créer la pelouse parfaite ne nécessite que quelques méthodes simples, appliquées de la bonne façon et, ce qui est encore plus important, avec constance.

Tout travail est plus facile et plus efficace quand on utilise les bons outils. Bien entretenus, c'est-à-dire bien ajustés, bien affûtés, huilés et nettoyés, ils dureront longtemps, ce qui compensera pour le prix plus élevé qu'il faut parfois payer pour une meilleure qualité.

Les tondeuses

La tondeuse est l'outil de jardin le plus utilisé, parce qu'une pelouse en santé doit être tondue de quinze à vingt fois par année. Si vous faites les choses de la bonne façon et que le climat se montre clément, si, de surcroît, vous avez un voisin emprunteur ou un fils qui utilise votre outil pour entretenir d'autres pelouses, votre tondeuse travaillera encore plus fort. Donc, peu importe quel type de tondeuse vous achetez, qu'il s'agisse d'une

Il a fallu des centaines d'années pour perfectionner la pelouse du King's College, à Cambridge.

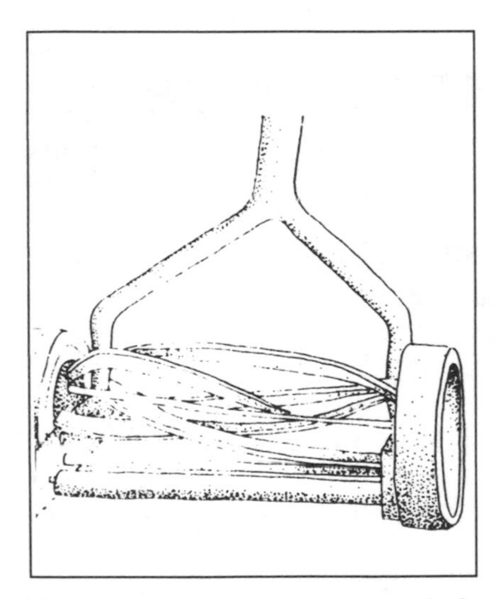

Si votre pelouse n'est pas trop grande, la tondeuse manuelle vous rendra la tâche de la tonte beaucoup plus agréable.

tondeuse mécanique, rotative, à tambour, d'une tondeuse qu'on pousse, d'une tondeuse à moteur ou d'une tondeuse-tracteur, achetez-en une bonne.

Tondeuse mécanique ou manuelle. Pour les pelouses de dimensions modestes, la tondeuse mécanique est celle qui a le plus de chances de rendre la tâche agréable : elle ne fait pas de bruit et ne produit pas de gaz d'échappement qui gâtent l'odeur du gazon fraîchement coupé. C'est le seul outil efficace contre les herbes rampantes ployées et les autres variétés qui doivent être gardées courtes.

Le bruit de ma tondeuse à moteur m'énervait tellement que je me suis récemment fait cadeau d'une tondeuse mécanique, et je trouve maintenant plus agréable de couper le gazon.

La tondeuse mécanique est facile d'entretien. Il suffit de la garder propre, graissée et huilée. Elle peut être difficile à affûter, parce qu'il faut garder le bon angle et tenir la lame droite pour que la ligne de coupe soit égale d'un bout à l'autre de la lame. Je préfère faire affûter la mienne par un professionnel.

Tondeuse rotative. J'ai lu quelque part que les tondeuses rotatives sont tellement dangereuses qu'on devrait les bannir complètement, mais je pense que c'est là un point de vue extrémiste. Toutefois, des précautions supplémentaires sont de rigueur, et on ne devrait certainement pas permettre aux jeunes de s'en servir. Les lames tournent à environ 3500 rpm, projetant sur leur passage branches, cailloux, os de chien, etc., et elles peuvent couper un orteil ou un doigt en moins de 1/50e de seconde. Néanmoins, la tondeuse rotative est de loin l'instrument le plus populaire pour couper le gazon, et elle offre certains avantages. Elle est considérablement moins coûteuse que la tondeuse à tambour et, avec sa lame qui tourne 60 fois à chaque pas que vous faites, elle peut réduire très rapidement les feuilles d'automne en un paillis prêt pour le compost. Munie d'un sac à herbe, elle est très efficace pour ramasser le gazon coupé, si bien qu'il n'en reste que très peu sur la pelouse.

Les moteurs à deux cycles ont besoin d'huile mélangée à l'essence, dans les proportions suggérées par le fabricant, et n'ont pas de carter qu'il faut alimenter en huile.

Les moteurs à quatre cycles utilisent de l'essence pure et ont un carter ou réservoir d'huile qu'il faut garder plein d'huile à moteur propre et de bonne qua-

Assurez-vous qu'il n'y a ni enfants ni animaux dans les environs quand vous utilisez une tondeuse rotative.

Saviez-vous que...
La première tondeuse à gazon a été inventée par un monsieur Ransome, qui avait adapté à la tonte du gazon une machine à couper les poils de tapis?

Débarrassez votre tondeuse des coupures de gazon et autres débris.

lité. Il faut changer l'huile après quelque vingt heures d'utilisation, plus souvent s'il y a beaucoup de poussière. Une tondeuse qui travaille environ deux heures chaque fois aura probablement besoin d'un changement d'huile à la mi-saison. Toutefois, vous devriez vérifier le niveau d'huile chaque fois que vous l'utilisez et ajouter un peu d'huile au besoin. Si le moteur sent le chauffé, qu'il cale facilement, ou qu'il tourne avec difficulté quand vous le remettez en marche, vérifiez l'huile encore une fois. Il se peut fort bien que le niveau d'huile soit trop bas.

Il faut garder les moteurs, à deux ou à quatre cycles, libres de coupures de gazon ou autres débris. Je connais une personne qui a arraché accidentellement le fil de la bougie d'allumage en tondant sous des buissons, et l'étincelle qui a jailli entre le fil et le boîtier de la tondeuse a mis le feu à l'appareil, qui a été complètement détruit. On doit aussi garder le dessous de la tondeuse propre, sinon le métal rouillera à cause de l'humidité retenue par les coupures de gazon.

Quand vous affûtez la lame, assurez-vous de ne pas limer un côté plus que l'autre, sinon vous risqueriez de déséquilibrer la tondeuse. La lame affûtée doit être débarrassée de tout gazon ou débris, puis équilibrée exactement au centre.

Tondeuse rotative électrique. Elle exige très peu d'entretien. Assurez-vous simplement de garder les lames affûtées et les parties mobiles huilées. Si vous achetez une tondeuse électrique, recherchez le sceau CSA et une fiche à trois prises. Enfin, assurez-vous que la tondeuse a suffisamment de câblage électrique pour rejoindre les extrémités de votre terrain, puis essayez de ne pas passer la tondeuse sur le câble quand elle est en marche: une bonne raison de garder les enfants et les animaux éloignés pendant que vous tondez.

Tondeuse à tambour. Les professionnels du service d'entretien des pelouses utilisent le plus souvent des tondeuses à tambour, ce qui prouve bien leur supériorité. Elles sont plus coûteuses à l'achat, mais tondent plus longtemps, nécessitent moins de réparations et moins d'affûtages. Après tout, la partie coupante de la lame d'une tondeuse rotative n'est que d'environ 20 cm. Les tondeuses à tambour ont cinq ou six lames d'environ 45 cm de longueur. Entretenez le moteur de la même façon qu'on entretient celui d'une tondeuse rotative. Entretenez les lames de la même façon qu'on entretient les lames d'une tondeuse mécanique.

Tondeuse-tracteur. Les tondeuses-tracteurs coûtent plus cher parce que vous payez pour le privilège de vous percher sur votre outil. Mais avec tous les ajustements nécessaires pour vous fournir une place où vous asseoir en toute sécurité, il arrive parfois qu'on sacrifie un peu de l'efficacité de la machine. Tondre, en particulier, une pelouse inégale avec une tondeuse-tracteur mal construite peut arracher la pelouse des collines et produire une tonte inégale. Essayez de dénicher la meilleure tondeuse que vos finances vous permettent, et demandez au vendeur de vous laisser l'essayer sur votre pelouse avant de l'acheter.

La tondeuse-tracteur est coûteuse. Demandez-vous si vous avez vraiment besoin d'une telle machine de luxe.

Vous devrez probablement vous fier au vendeur pour l'entretien de votre tondeuse-tracteur, à part le huilage et l'affûtage. La meilleure tondeuse-tracteur est celle à laquelle on peut ajouter des accessoires, tels une tondeuse à tambour, un rotoculteur, un chasse-neige, etc.

Comment préparer votre tondeuse motorisée pour l'hiver

L'entretien d'hiver des moteurs de jardinage, surtout des moteurs de tondeuses, est une chose

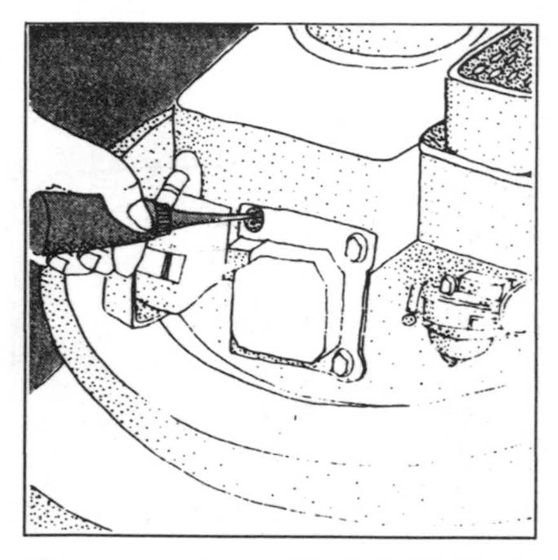

Ne mettez qu'une cuillerée à thé d'huile fraîche dans le cylindre.

que la plupart des gens négligent. Ne vous contentez pas de ranger votre tondeuse après la dernière tonte de l'automne, et de l'oublier jusqu'au printemps. Il faut moins de temps pour préparer un moteur pour l'hiver qu'il n'en faut au printemps pour le mettre en marche s'il a été négligé. À l'automne, donc, observez bien les directives qui suivent:

1. Vidangez l'essence. Ne faites pas tourner le moteur jusqu'à ce que le réservoir soit vide: vous risqueriez d'attirer de la poussière ou des coupures de gazon dans le réservoir à essence ou le carburateur et d'abîmer l'appareil.
2. Enlevez la bougie d'allumage et mettez une cuillerée d'huile à moteur propre dans le cylindre, puis tirez sur le démarreur à quelques reprises pour napper le cylindre d'huile. Remettez la bougie d'allumage en place, mais laissez le fil débranché.
3. Enlevez le filtre à air et retirez l'éponge. Lavez-la à l'eau et au détersif; ensuite, rincez jusqu'à ce qu'il ne reste plus de savon (ce qui exige habituellement plusieurs rinçages), mettez deux cuillerées à soupe d'huile sur l'éponge et faites bien pénétrer. Remettez le filtre et l'éponge en place.
4. Assurez-vous que la bougie d'allumage est débranchée. Enlevez la lame et débarrassez l'intérieur du boîtier du gazon et autres débris accumulés. Si vous vous sentez zélé, appliquez une couche de peinture à métal pour protéger davantage votre tondeuse contre la rouille. Je vous suggère d'affûter la lame à l'automne, pour vous assurer que ce sera fait, puis enduisez d'huile les bords nouvellement limés pour les protéger contre la rouille.
5. Videz le carter et remplacez la vieille huile noire et sale par n'importe quelle bonne huile pour automobile.
6. Vérifiez les roues. Si vous tondez toujours votre pelouse dans la même direction, l'une des

roues arrière sera peut-être usée. Si l'intérieur du moyeu ou l'essieu s'use, la roue oscillera ou même traînera, ce qui rendra beaucoup plus difficile la tâche de pousser la tondeuse. On peut se procurer facilement des essieux ou des roues de rechange, et vous serez étonné de la différence qu'ils peuvent faire.

7. Vérifiez si le câble de démarrage est usé. Vous feriez mieux de le remplacer avant qu'il s'use trop, plutôt que d'attendre qu'il cède en tirant dessus et que vous vous cassiez le bras contre le garage.

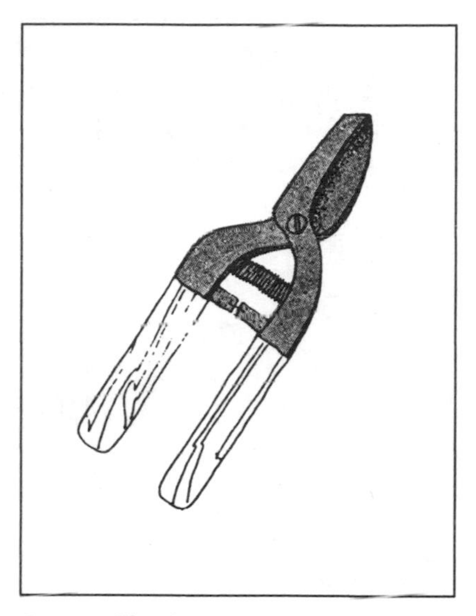

Les cisailles à ressort qu'on peut tenir d'une seule main sont le meilleur outil pour parfaire la pelouse.

Au printemps

1. Enlevez la bougie d'allumage et nettoyez-la avec du papier d'émeri. Les instructions du fabricant vous indiqueront comment vérifier l'écartement des électrodes; puis, remettez la bougie en place ou remplacez-la pour une autre du même numéro que celle que vous avez enlevée. Je vous rappelle que le «r» dans le numéro signifie que la bougie contient un résisteur qui minimise l'irritante interférence avec les appareils de radio ou de télévision. Dans certaines régions, les règlements municipaux ont rendu obligatoire l'utilisation de bougies avec résisteurs.
2. Remplacez le silencieux s'il est usé.
3. Huilez les roues.
4. Remplacez l'huile du carter. Cela n'est pas absolument nécessaire, mais ce n'est pas une mauvaise idée puisque l'huile est restée là tout l'hiver à absorber ce qu'il restait de déchets dans le moteur.
5. Affûtez la lame si vous ne l'avez pas fait à l'automne.
6. Remplissez le réservoir d'essence fraîche. Puis, d'un seul coup sur le câble de démarrage, et sans épaule meurtrie, vous commencerez une nouvelle saison de tonte de votre pelouse.

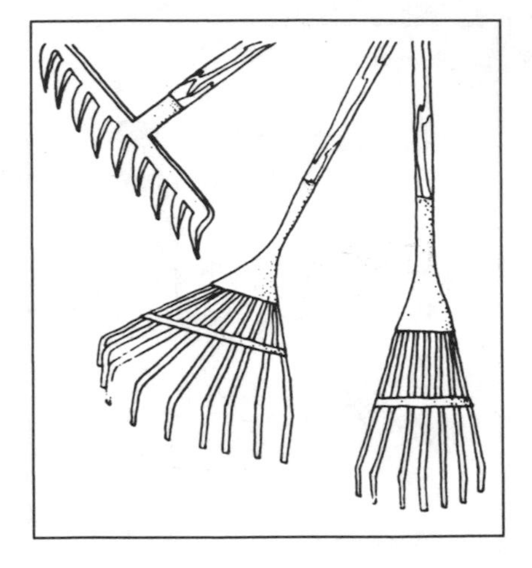

Les cisailles

Les cisailles sont utilisées pour couper le gazon autour des arbres, des jardins, le long des clôtures, et elles se présentent sous différentes formes et grandeurs. Les grosses cisailles qu'on tient à deux mains fonctionnent bien si on les garde bien affûtées et huilées, et que la tension au point du pivot est ajustée de façon que les lames se touchent lorsqu'on les croise. Ce genre de cisaille est surtout destiné à la taille des haies et des arbustes, et est donc plus lourd qu'il faut pour couper le gazon. Les sécateurs qui peuvent être utilisés d'une seule main sont plus légers et plus faciles à manier; de plus, parce que l'une des lames est fixe, il est plus facile de couper le gazon qui pousse contre un mur. Par contre, ce genre de sécateur se coince très facilement: il faut donc garder les lames propres. Les taille-bordures à moteur sont certainement les plus faciles à utiliser. Ils font tout le travail et vous n'avez qu'à les guider. Leur seul désavantage: ils peuvent abîmer la peinture de vos poteaux de clôture ou l'écorce des arbres si vous ne faites pas très attention. Je trouve le bruit qu'ils font très irritant, mais vous ne serez peut-être pas de cet avis.

Les râteaux

Le râteau de jardin, à dents courtes, raides et toutes de la même longueur, sera utile pour semer votre pelouse, pour ramasser les branches ou autres gros débris après une tempête. Certaines personnes l'utilisent pour déchaumer le gazon, mais c'est beaucoup plus de travail qu'il n'en faut. Quant au balai à feuilles (râteau «en éventail»), vous devriez en choisir un qui soit à la fois solide et léger. Il en existe qui sont étroits, donc utiles pour ramasser les feuilles sous les haies. Les gens qui vivent dans des quartiers où il y a beaucoup d'arbres voudront peut-être acquérir une souffleuse à feuilles. Il s'agit d'un puissant ventilateur qui ramasse les feuilles en tas en soufflant dessus. Quand je pense au nombre de samedis après-midi où je me suis retrouvé avec une cour pleine de feuilles qui m'empêchaient de faire ce que j'aurais vraiment voulu faire, je me dis qu'on ne peut pas s'offrir de plus beau cadeau que d'utiliser une telle souffleuse, à moins d'engager quelqu'un pour accomplir cette besogne.

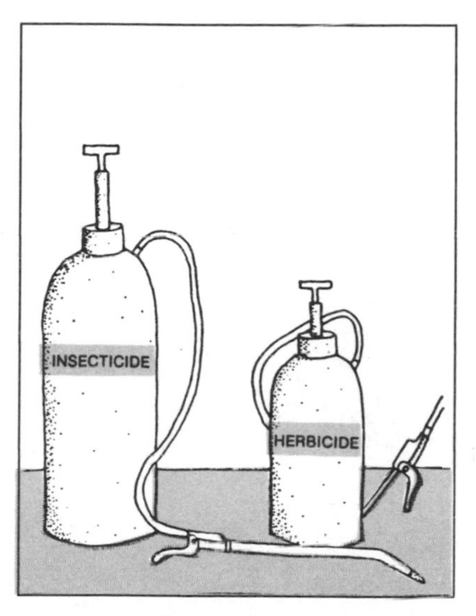

Il est préférable d'utiliser un vaporisateur exclusivement pour les herbicides.

Les épandeurs

Il se vend deux types de base : les épandeurs qui sèment sur place et ceux qui sèment à la volée. Toutes choses considérées, y compris le prix, les épandeurs à la volée sont meilleurs, à moins que vous ayez des surfaces très étroites où vous voulez répandre des engrais ou des herbicides. Si c'est le cas, un épandeur qui sème sur place vous permettra plus de contrôle.

Les épandeurs à la volée font des apports d'engrais une tâche beaucoup plus simple et rapide. Gardez toutefois à l'esprit les points suivants :

1. Remplissez toujours votre épandeur dans une allée ou un passage pour piétons, au cas où vous renverseriez des semences ou de l'engrais.

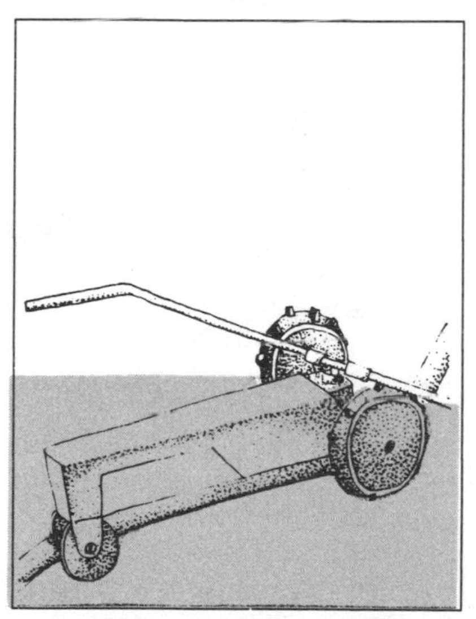
Le vaporisateur ambulant vous épargne la tâche de le promener sur votre pelouse.

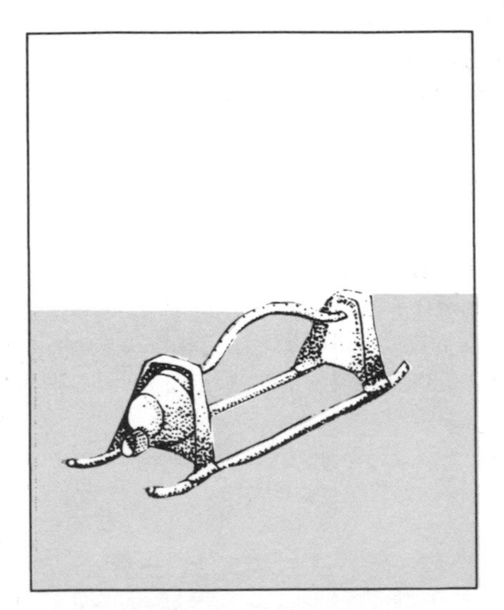

L'arroseur à jet en éventail couvre une plus grande surface.

Les brouettes à deux roues ou à roue pneumatique unique sont plus faciles à pousser.

2. Appliquez l'engrais sur votre pelouse en croisillons, c'est-à-dire d'abord dans une direction, puis dans la direction opposée. Fermez toujours votre épandeur avant de prendre un tournant.
3. Arrosez votre épandeur avec le boyau d'arrosage après chaque utilisation, puis rangez-le dans un endroit sec. Mouillé, l'engrais est extrêmement corrosif.

Les vaporisateurs

Les vaporisateurs à air comprimé ou à réservoir permettent une application contrôlée des pesticides, herbicides ou fongicides. Le jet est éloigné de vous, de sorte que vous courez moins de risques d'en aspirer ou d'en recevoir sur la peau, et vous pouvez atteindre facilement le dessous des feuilles ou les branches élevées. Toutefois, vous devez vous assurer de bien rincer toutes les parties du vaporisateur — réservoir, boyau et jet — après chaque emploi. Vous ne voulez certainement pas risquer qu'il reste de l'herbicide dans votre vaporisateur lorsque vous vaporisez du fongicide ou de l'insecticide sur vos roses, à moins de vouloir tuer ces fleurs. En fait, il serait préférable d'avoir deux vaporisateurs et d'en garder un exclusivement pour les herbicides.

Ces dernières années, on a tellement amélioré les vaporisateurs pour boyaux d'arrosage que la vaporisation est devenue l'une des corvées du jardinage les plus faciles. Cherchez la marque *Dial-a-Spray*. Attachez tout simplement le vaporisateur à votre boyau d'arrosage et placez le cadran au débit approprié (la bouteille de produit chimique liquide vous donnera le taux de dilution). Quand vous avez fini, versez le liquide qui reste dans la bouteille et rincez votre *Dial-a-Spray*. Il est presque impossible de se tromper avec ce genre de vaporisateur qui, en plus, dure des années, exige très peu d'espace de rangement et coûte beaucoup moins cher qu'un vaporisateur à réservoir.

Les arroseurs

Les arroseurs aussi sont très variés : il y a l'arroseur oscillant en éventail, très populaire, les arroseurs à jet direct et les arroseurs ambulants. La sorte d'arroseur que vous devez choisir dépend de la grandeur et de la forme de votre pelouse, et de votre budget. Les arroseurs à jet sont très directifs, mais ils couvrent une plus petite surface que l'arroseur oscillant durant une même période de temps. Le problème avec les arroseurs oscillants, c'est leur taux d'application. Bien qu'ils couvrent une surface plus grande, ils ont tendance à arroser inégalement.

Les boyaux

La plupart des gens achètent ce qu'il y a de plus pratique, mais d'autres aspects sont à prendre en considération. Par exemple, les boyaux de caoutchouc restent plus flexibles quand on arrose à l'eau froide. Ils sont plus faciles à rouler par temps froid et durent très longtemps. Sous pression normale en ville (9 kg par cm carré), un boyau de 1 cm projettera 36 litres d'eau à la minute, alors qu'un boyau de 1,5 cm en projettera 90 litres à la minute. Vous obtenez donc plus du double en débit d'eau, sans avoir à payer le double du prix, et vous pouvez arroser votre pelouse plus rapidement.

Divers

Vous aurez peut-être aussi besoin d'un coupe-bordures en demi-lune, d'une pelle à gazon carrée (bien qu'un coupe-gazon rende la tâche plus facile et fasse un travail plus propre), d'un grand morceau de toile ou de tissu épais pour ramasser les feuilles et les coupures de gazon, ou pour ramasser la terre quand vous faites des trous. Si vous avez une très grande pelouse, vous aurez peut-être besoin d'une brouette. Une brouette à deux grosses roues, ou à une seule roue pneumatique est beaucoup plus facile à pousser.

Chapitre 2

La nouvelle pelouse

La nouvelle pelouse

Avant de vous mettre en frais pour créer une pelouse entièrement nouvelle, demandez-vous si c'est nécessaire. Si la moitié de votre cour est couverte de gazon, vous feriez mieux d'agrandir votre pelouse, plutôt que de recommencer à zéro. Cela vous demandera moins de travail, coûtera moins cher et donnera des résultats plus rapides. Par contre, si le sol sous votre pelouse est si lourd d'argile qu'il étrangle tout nouveau gazon, ou si sablonneux et léger que le gazon sèche dès que le soleil apparaît, et se fait emporter par le vent, alors choisissez une belle fin de semaine de la mi-août et commencez à semer.

Ce dont vous aurez besoin

Motoculteur. Le motoculteur à dents arrière et à roues motrices frontales est beaucoup plus facile à manipuler. Si vous ne semez qu'une petite surface, vous pouvez vous contenter d'une fourche et d'un râteau, mais un motoculteur fait un bien meilleur travail.

Rouleau. Il existe différentes grosseurs de rouleaux. Mettez suffisamment d'eau dans votre rouleau, peu importe sa grosseur, pour qu'il soit lourd, mais que vous soyez quand même capable de le pousser. Remplissez-le dans votre allée de garage ou sur une dalle de patio, parce que si vous essayez de le remplir sur le gazon, il se creusera peut-être un trou d'où vous aurez de la difficulté à le sortir.

Amendements de sol. N'importe quel genre de terre arable, riche en matières organiques, sans mauvaises herbes. Quant à la matière organique, la mousse de tourbe, à elle seule, est considérée comme la meilleure, mais un mélange de mousse de tourbe et de fumier ou de feuilles décomposées donnera de bons résultats. Vous aurez peut-être besoin de chaux pour abaisser le pH à 6,5, si nécessaire; quant aux engrais, il est préférable de commencer avec une formule très riche en phosphore, telle que 16-48-0.

Divers. Un râteau, un balai ou râteau à feuilles, un boyau d'arrosage, un arroseur.

Les semences. Un peu plus de semences que ce que vous avez calculé pour la surface à couvrir. Deux kilogrammes d'un mélange populaire de graines de gazon couvrira environ 37 mètres carrés. Vous aurez aussi besoin de paillis pour couvrir les semences. La mousse de tourbe ou le mélange Pro Mix sont faciles à manipuler, peu coûteux, et retiennent l'humidité nécessaire à une bonne germination (0,14 mètre cube de mousse de tourbe ou de Pro Mix). Si la région est venteuse, vous aurez besoin de mousseline à fromage ou autre tissu du même genre pour couvrir la mousse de tourbe. La mousseline est également pratique pour retenir les paillis et les graines quand vous arrosez des pentes.

Vaporisez toujours les herbicides un jour sans vent.

Le gazon cultivé. Assez de gazon pour couvrir la surface désignée et le plus frais, le meilleur. «Coupé le matin, installé dans votre cour l'après-midi» est l'idéal. Vous aurez besoin d'une brique ou d'un bout de deux par quatre, de même que d'un couteau, d'un coupe-gazon en demi-lune bien affûté ou d'un niveau carré.

La méthode

Pour obtenir une belle pelouse, il faut suivre certaines étapes:

1. *Enlevez toutes les mauvaises herbes.* La première étape est toujours la plus difficile mais, dans ce cas-ci, c'est comme si vous construisiez les fondations de votre maison. Si vous ne faites pas les choses de la bonne façon, vous devrez recommencer, réparer, et vous ne serez jamais entièrement satisfait des résultats. Donc, quand vous arracherez les mauvaises herbes, assurez-vous de les arracher toutes. Vous pouvez avoir recours à un destructeur de végétation

(herbicide polyvalent) qui tuera toutes les plantes, les herbes et les mauvaises herbes à larges feuilles, mais faites attention que le jet n'atteigne pas votre jardin, vos arbres, ni la cour du voisin. Attendez un jour où il ne vente pas pour en faire l'application. Pour les régions à ensemencer qui ont l'air de pâturages pleins d'herbes grossières, de plantain, de pissenlits et de chardons, un destructeur de végétation est vraiment la seule solution. Le seul problème est que vous devrez attendre un an avant d'ensemencer votre bout de terrain dénudé.

On peut désherber à la main les surfaces plus petites et qui ont moins de mauvaises herbes; on n'a ensuite qu'à enfouir les herbes dans le sol à l'aide d'un motoculteur. Avant de retourner la terre toutefois, enlevez toutes les fleurs et les graines et brûlez-les ou jetez-les. Vous vous épargnerez de futurs problèmes. Il serait sage également d'arracher le chiendent manuellement pour vous assurer d'enlever tous les rhizomes... ces stolons blancs d'environ 3 mm d'épaisseur, qui s'allongent dans le sol comme des racines. Quelques centimètres seulement de rhizomes de chiendent peuvent donner naissance à une grosse touffe de mauvaises herbes au beau milieu

Truc

Pour éviter que votre pelouse ne s'use trop à force de marcher dessus, munissez votre clôture de deux barrières et alternez, d'une semaine à l'autre, les surfaces de pelouse utilisées comme passage.

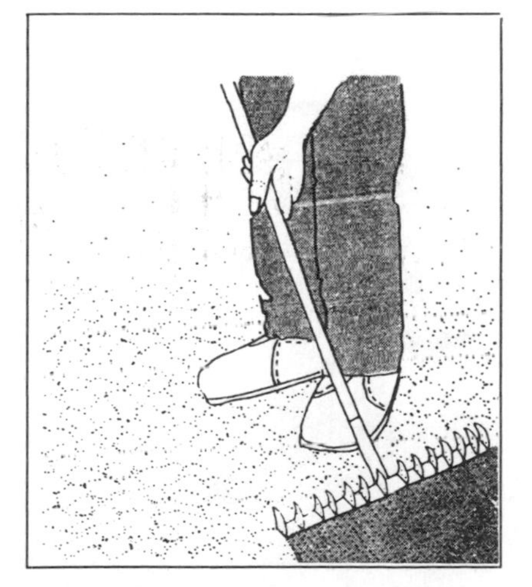

Nivelez la surface pour éliminer les bosses et les trous.

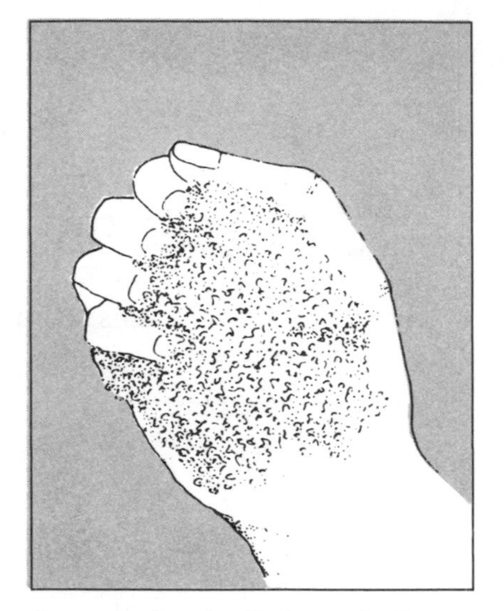

La terre devrait s'émietter facilement dans votre main.

Enfouissez les amendements dans le sol au moyen d'un motoculteur.

de votre pâturin du Kentucky, et une fois que ces herbes sont installées parmi votre pelouse, il est difficile de s'en débarrasser sans tuer le bon gazon qui les entoure.

2. *Préparez la surface.* Il s'agit de former le relief de votre pelouse, des terre-pleins et des collines, et de faire un premier nivelage. Des zones affaissées dans une pelouse peuvent retenir l'eau et noyer le gazon ou, du moins, lui rendre la vie difficile et affaiblir les racines. Les bosses, par contre, s'assèchent rapidement et se font raser par les tondeuses. Par conséquent, si vous avez des collines ou des vallées indésirables, servez-vous des unes pour remplir les autres et nivelez-les. Quant au relief que vous voulez conserver, il faut le remodeler délicatement de façon à minimiser les risques de scalper votre pelouse et à permettre un bon écoulement, sans flaques d'eau après les averses.

3. *Installez un système d'arrosage.* Si vous avez retourné toute votre pelouse, autant en profiter pour installer un système d'arrosage. Ça ne coûte pas excessivement cher, et vous n'aurez plus jamais à traîner de boyau d'arrosage ni à promener d'arroseur sur votre pelouse.

4. *Amendez le sol.* Une terre qui ne s'émiette pas facilement lorsqu'elle est mouillée a besoin d'un

apport de matières organiques. Un bon terreau a une texture semblable à celle d'un gâteau au chocolat, mais si le vôtre ressemble plutôt à du pudding, couvrez-le de quatre centimètres de mousse de tourbe, de fumier décomposé ou de limon, que vous mélangerez ensuite aux quinze premiers centimètres de votre terreau au moyen d'un motoculteur. Vous pouvez le faire à la main, mais c'est un travail dur.

Les constructeurs de maisons sont plus conscients qu'autrefois de l'importance du sol. Toutefois, il arrive encore occasionnellement que la terre entourant une nouvelle maison soit saturée d'argile lourde qu'on a remontée du sous-sol en construisant les fondations et qui ne vaut pas la peine d'être amendée. Si votre cour est glissante lorsqu'elle est mouillée et dure comme la pierre une fois séchée, vous devriez répandre de dix à quinze centimètres de bon terreau sablonneux et libre de mauvaises herbes — plus vous en mettez, mieux ce sera — au lieu d'essayer d'amender la terre que vous avez.

Que vous ajoutiez une couche de terreau, ou que vous amendiez votre sol, la dernière étape est la même et consiste à répandre un engrais 6-12-12 sur la surface, en suivant les directives inscrites sur l'emballage.

Il est préférable de semer plus de graines de gazon que n'en recommande le mode d'emploi.

5. *Enfouissez et nivelez.* Si vous ajoutez des matières organiques à votre terreau, la meilleure façon de les enfouir est d'utiliser un motoculteur; mais si vous n'ajoutez que de l'engrais à votre terre, le ratissage que vous ferez pour niveler la surface sera insuffisant. Pour repérer les bosses et les creux qui ont encore besoin de ratissage, clouez une corde à chaque extrémité d'une planche de bois que vous traînerez sur la surface.

6. *Passez le rouleau et ratissez de nouveau.* Vous n'avez pas besoin d'un lourd rouleau pour

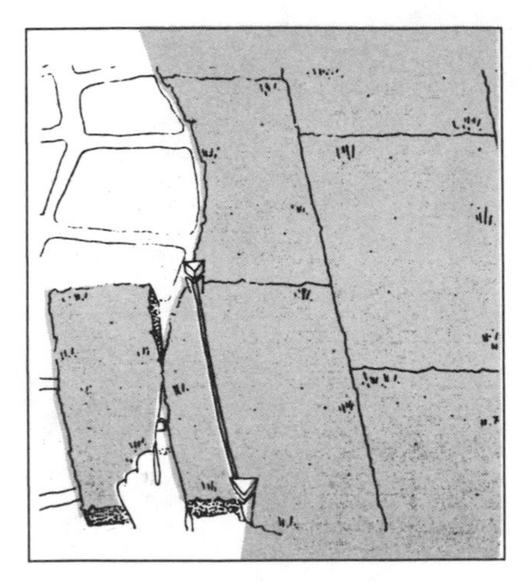

Placez les bandes de gazon comme les briques d'un mur.

faire ce travail, du moment que vous avez suffisamment de poids pour comprimer le sol que vous venez juste de niveler. S'il y a encore des trous et des bosses, repassez le râteau et le rouleau, car même une petite dépression peut occasionner une distribution inégale des semences de gazon.

7. *Semez.* Si vous avez utilisé un herbicide chimique pour vous débarrasser des mauvaises herbes, assurez-vous qu'il se soit suffisamment dissipé pour permettre la germination des semences de gazon. L'étiquette sur le produit chimique vous donnera une bonne idée de la durée de son effet, mais vous pouvez vérifier en semant quelques graines de radis ou de navet, qui germent très rapidement. Si elles poussent, vous pouvez semer votre gazon. Sinon, attendez quelques jours et recommencez.

J'aime répandre les semences de gazon à la main. Je marche à reculons et je laisse simplement les graines rouler de mon index, tout en balançant mon bras de l'avant à l'arrière.

Un épandeur sèmera de façon égale, et l'emballage de semences vous dira dans quelles proportions il faut semer, c'est-à-dire combien de semences par mètre carré. Je connais un jardinier qui sème deux fois plus que nécessaire et, bien que je trouve sa méthode exagérée, je ne peux pas argumenter contre les résultats. Semer un peu plus généreusement que recommandé par le mode d'emploi ne peut pas nuire, puisque les moineaux vous voleront sans doute une partie de vos graines de toute façon.

Couvrez les semences d'une couche de 0,5 cm de tourbe ou de Pro Mix, puis recouvrez de mousseline à fromage sur les pentes. Pour retenir la mousseline en place, servez-vous de fils de métal d'environ 10 cm de long, que vous aurez repliés comme des anneaux de jeu de croquet.

8. *Posez le gazon cultivé.* Avant de commencer à poser le gazon

cultivé, arrosez votre terreau, surtout si vous avez fait des amendements de mousse de tourbe, sinon la tourbe sèche déshydratera les racines très rapidement. Attendez que le sol ne soit plus collant mais simplement humide, puis commencez à poser les bandes de gazon. Il est préférable de commencer en suivant une ligne droite, le bord d'une allée par exemple, mais si tous les bords de votre pelouse sont arrondis, tirez une corde en ligne droite, à une ou deux bandes de gazon de la partie de la courbe la plus profonde, puis placez une rangée de bandes de gazon le long de la corde. Échelonnez les carrés de gazon selon la méthode utilisée pour construire un mur de briques. Cela empêchera l'eau de former des rigoles entre les rangées de gazon. Pour la même raison, vous devriez placer les bandes de gazon sur la largeur, plutôt que sur la longueur, quand vous recouvrez une colline.

Pour bien ajuster, placez les bandes de gazon les unes contre les autres et tapez avec une brique jusqu'à ce que le joint soit plat.

Pour que les bandes soient bien ajustées les unes contre les autres, placez-les de façon que les bords soient légèrement relevés et appuyés les uns contre les autres, puis mettez-les en place en les tapant avec une brique ou un bout de deux par quatre. Coupez les coins au couteau, en vous servant d'une corde comme guide si nécessaire, et servez-vous de votre deux par quatre comme guide pour les lignes droites.

9. *Passez le rouleau.* Que vous ayez semé ou posé du gazon cultivé, passez le rouleau sur la pelouse encore une fois.

10. *De l'eau, de l'eau, de l'eau!* Vous devrez garder les semences humides jusqu'à ce qu'elles germent et, même si le paillis aidera certainement à les empêcher de sécher, il vous faudra peut-être arroser délicatement deux fois par jour par temps chaud. Un jet trop raide délogerait paillis et graines.

Les bandes de gazon ont besoin de grandes quantités

d'eau, suffisamment pour atteindre le terreau en dessous et encourager les racines à s'enfoncer. Mon frère Peter vend du gazon cultivé depuis des années. Il affirme que 99 % des échecs proviennent d'un manque d'eau.

C'est à vous de décider ce qui est préférable entre semer du gazon ou poser du gazon cultivé, mais voici quelques informations qui méritent d'être prises en considération. Le gazon cultivé est plus rapide à installer et a tout de suite l'apparence d'une pelouse, mais il coûte plus cher. Les graines sont plus économiques et ont l'avantage supplémentaire que l'on sait quelle variété de gazon on a semée, si jamais le besoin se présente de faire des réparations à la pelouse.

11. *Pour une pelouse au soleil.* Utilisez un mélange de semences canadiennes de pâturin du Kentucky n° 1 (au moins 50 %), de fétuque rouge traçante (environ 25 %) et de raygrass annuel (environ 25 %).

12. *Pour une pelouse à l'ombre.* Utilisez un mélange de fétuque rouge traçante (de 40 à 50 %), de pâturin du Kentucky (de 30 à 35 %) et de raygrass annuel (de 15 à 25 %).

Chapitre 3

La réparation d'une pelouse

La réparation d'une pelouse

Du moment qu'une pelouse est tondue, elle paraît bien. On ne peut voir les mauvaises herbes à moins d'y regarder de près. Mais laissez-la aller assez longtemps entre les tontes et c'est un désastre: on croirait qu'elle ne vaut même pas la peine d'être sauvée. Mais ne désespérez pas. Caché parmi le plantain, derrière les chardons, autour des pissenlits et parmi le lierre terrestre, il y a encore amplement de bon gazon. Il a tout simplement besoin d'aide. Malheureusement, vous ne pouvez pas faire grand-chose contre une circulation dense, un éclairage ou un égouttement insuffisant, mais les étapes suivantes devraient vous aider à sauver votre gazon, peu importe le problème.

Ce dont vous aurez besoin

1. Un balai à feuilles, un râteau, une fourche, un rouleau.
2. Du terreau et/ou des matières organiques, tels que du fumier décomposé, de la mousse de tourbe; du paillis, des graines de gazon ou des bandes de gazon cultivé.
3. Du Killex, herbicide contre les mauvaises herbes à larges feuilles, de l'engrais (dans ce cas-ci, il est préférable d'utiliser un herbicide et un engrais séparés, plutôt qu'un produit combiné), un vaporisateur et un épandeur.
4. Un boyau d'arrosage et un arroseur.

La méthode

1. *Débarrassez-vous des débris et des mauvaises herbes.* Un herbicide contre les mauvaises herbes à larges feuilles, tel que le Killex, vous débarrassera des chardons, des pissenlits, du lierre terrestre. Suivez les directives inscrites sur l'emballage et appliquez également et prudemment au moyen d'un vaporisateur à boyau Dial-a-Spray. En attendant que les mauvaises herbes se flétrissent, ratissez les feuilles, les débris, les branches et les os de chien, etc. Puis, arrachez toutes les herbes coriaces, comme le chiendent, en vous assurant d'enlever toutes les

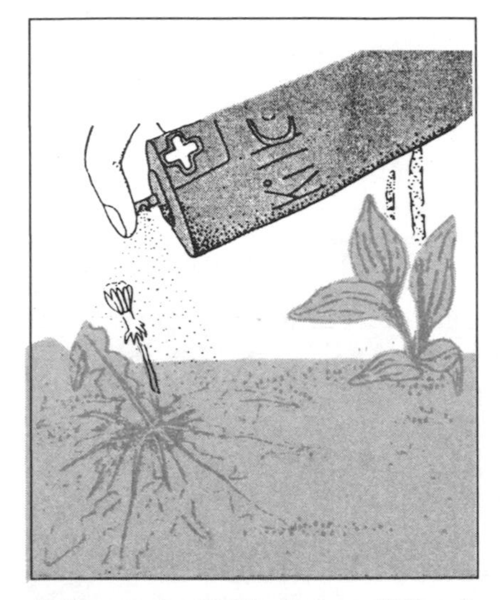

Utilisez un herbicide du genre Killex de la compagnie Green Cross pour vous débarrasser des pissenlits.

Remplissez les trous et semez à nouveau pour égaliser le plus possible la pelouse.

racines et les rhizomes pour qu'elles ne repoussent pas. Si vous avez des problèmes avec la digitaire, vous pouvez utiliser un herbicide sélectif, tel que l'herbicide liquide contre la digitaire.

Une fois les mauvaises herbes et les plantes indésirables disparues, vous verrez beaucoup de sol nu là où il y avait du vert auparavant, mais le bon gazon se mettra vite à pousser et à remplir les zones dénudées, maintenant qu'il n'a plus de rival pour la lumière et les éléments nutritifs.

2. *Nivelez la surface.* Il n'est pas bon d'avoir des bosses et des trous dans votre pelouse, car les bosses se font scalper par les tondeuses, alors que les trous se font inonder par les arroseurs. Toutefois, n'essayez pas d'aplanir les bosses avec un rouleau ni en tapant dessus à coups de pelle. Vous ne réussiriez qu'à comprimer le sol et à nuire à la croissance du gazon. La meilleure solution est de remplir les trous avec du terreau et de semer de nouveau. Laissez les bosses tranquilles.

3. *Remplissez les zones dénudées.* Ratissez vigoureusement avec votre râteau pour enlever tous les brins de gazon mort et le chaume, puis répandez de 0,5 à 1 cm de terreau frais ou de Pro Mix sur toute la pelouse. Semez

un mélange approprié de graines de gazon et gardez bien mouillé. Semez généreusement sur les zones stériles préparées, recouvrez de mousse de tourbe, puis passez le rouleau et gardez constamment humide jusqu'à ce que les graines aient germé. Toutefois, si vous avez des enfants qui vont se mettre à courir partout sur les zones fraîchement ensemencées, ou des chats qui vont s'imaginer que vous avez répandu cette terre molle pour leur propre usage, recouvrez la surface de branches mortes, comme le font les professionnels. Si vous remplissez les zones dénudées de gazon en bandes, assurez-vous de bien l'ajuster en coupant dans le gazon environnant, de sorte qu'il n'y ait pas de zone maigre tout autour de la bande. Coupez la bande pour qu'elle convienne au trou, puis mettez-la en place. Elle aussi aura besoin de beaucoup d'eau. Imbibez-la tous les jours ou tous les deux jours jusqu'à ce qu'elle commence à croître vigoureusement, puis traitez-la comme une pelouse ordinaire.

4. *Arrosez.* L'eau est l'élément le plus important de la croissance de nouveau gazon. Il faut garder les semences de gazon fraîches et humides pour qu'elles germent puis, quand elles ont commencé à pousser, il faut maintenir un taux d'humidité

Lorsque vous recouvrez des zones dénudées de bandes de gazon, coupez généreusement dans le gazon environnant.

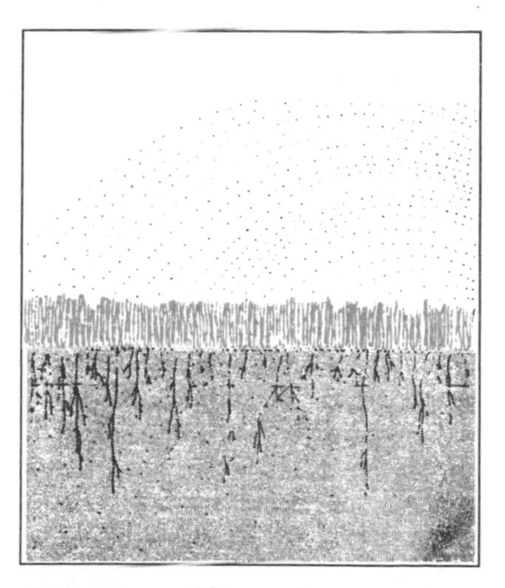

Arrosez avec diligence les semences ou les bandes de gazon, pour que les racines puissent s'ancrer fermement dans le sol.

constant jusqu'à ce que les racines soient bien ancrées dans le sol. Le gazon cultivé a lui aussi besoin d'avoir ses racines bien ancrées dans le sol avant de pouvoir supporter un léger dessèchement. Mais jusqu'à ce moment-là, il ne suffit pas de mouiller la surface du gazon: il faut *l'imbiber* et que l'eau atteigne jusqu'au terreau en dessous. Si vous permettez aux bandes de gazon ou aux semences de s'assécher avant que des racines capables de soutenir la croissance se soient formées, vous allez devoir recommencer à zéro. Je déteste voir des gens faire tout le travail préliminaire, pour échouer ensuite à cause de quelque chose d'aussi simple que l'apport d'eau. Et n'oubliez pas de prendre soin de votre pelouse, une fois qu'elle est bien partie. Après tout, la raison pour laquelle elle était rendue au point où il fallait la remplacer ou la réparer, c'est parce qu'elle n'avait pas reçu suffisamment d'attention au début. Une pelouse qui pousse bien et qui ne souffre pas de manque d'eau ni d'éléments nutritifs pourra lutter contre la plupart des mauvaises herbes et même les arrêter de pousser.

Si vous prenez bien soin de votre pelouse, de façon régulière, vous n'aurez pas d'autres tâches majeures à entreprendre. Votre gazon restera vert et invitant pour les pieds nus, aussi longtemps qu'il fera assez chaud pour se promener pieds nus.

Chapitre 4

Les soins nécessaires à la pelouse

Les soins nécessaires à la pelouse

Il est préférable de prendre soin de sa pelouse dès le départ, plutôt que d'être obligé de la renouveler ou d'en réparer une vieille. Ce n'est vraiment pas difficile quand on suit un programme de soins. L'application régulière de certaines procédures ou techniques fera de votre pelouse quelque chose de continuellement agréable à regarder et à maintenir. Commençons par la technique la plus évidente, la tonte.

La tonte

Quand tondre. C'est simple: on tond quand c'est nécessaire, et non selon un programme rigide. Décidez quelle longueur la pelouse devrait avoir, puis tondez-la lorsqu'elle dépasse de 1/3 à 1/2 la longueur désirée. Ainsi, une pelouse de 5 cm devrait être tondue avant d'avoir atteint plus de 7 cm; une pelouse de 2 cm, avant d'avoir atteint 4 cm, et ainsi de suite. Vous ne devriez jamais couper plus de la moitié de la longueur du gazon parce que les brins plus courts, qui étaient ombragés par les autres, pourraient se faire brûler par le soleil.

Gazon	Hauteur idéale
Agrostide	de 6 à 12 mm
Pâturin (varie selon les espèces)	de 5 à 6 cm
Fétuque rouge	de 5 à 7 cm
Raygrass annuel	de 3 à 5 cm
Raygrass vivace	de 2 à 6 cm
La plupart des pelouses	de 5 à 7 cm

Si vous gardez votre pelouse un peu plus longue que sa longueur idéale, surtout lorsque le temps est chaud et ensoleillé, vous encouragerez la formation de racines plus fortes et vous procurerez plus d'ombre à ses racines. Le gazon qui pousse à l'ombre peut profiter lui aussi d'être un peu plus long puisque cela lui permet de capter et d'utiliser toute la lumière disponible. Les gens croyaient autrefois que garder le gazon court l'encourageait à se répandre, mais on a prouvé le contraire. Des brins plus longs correspondent à des racines plus fortes, donc à des plantes plus saines et qui se répandent plus facilement. En fait, le seul moment où vous devriez couper votre gazon court, c'est lorsque vous tondez pour la dernière fois, à l'automne. Le but alors est de prévenir la moisissure des neiges en éliminant les têtes qui, laissées trop longues, céderaient sous le poids de la neige et moisiraient. C'est une bonne idée aussi de ramasser les coupures de gazon avant que la neige se mette à tomber.

La méthode. Il y a plusieurs écoles de pensée à propos des coupures de gazon. Je pense, pour ma part, que vous devriez les ramasser chaque fois que vous tondez durant l'été, si elles ont plus de 2 cm de long. Elles ont tendance à étrangler le gazon qui se trouve en dessous et à le priver de lumière. Toutefois, lorsque les coupures de gazon sont courtes, vous pouvez les laisser comme paillis léger.

Tondre une pelouse en pente peut être un travail d'équipe.

Tondez toujours par temps sec. Le gazon humide s'agglutine et colle au sol quand la tondeuse roule dessus, ce qui résulte en une tonte irrégulière. Il me semble encore entendre mon père dire : « Je regrette, mais il va falloir que tu tondes de nouveau », un samedi matin humide où je m'étais levé particulièrement tôt pour tondre.

Les pelouses récemment ensemencées devraient être tondues délicatement. Une fois que le gazon a atteint une longueur de 5 cm ou plus, vous pouvez commencer à tondre, mais vérifiez l'état du sol et attendez qu'il soit assez ferme pour pouvoir supporter le poids de la tondeuse. Ici, il serait préférable d'utiliser une tondeuse mécanique, plus légère et, avec son effet de ciseau, plus délicate que la tondeuse à moteur.

Tondre une pente peut s'avérer difficile, mais je n'arrive toujours pas à me décider quant à la meilleure méthode. Je préfère habituellement tondre la pente à l'horizontale, à partir du bas et en montant jusqu'à ce que je ne puisse plus suivre une ligne droite, et tondre ensuite en descendant. De cette façon, si vous trébuchez et lâchez la tondeuse, elle ne risque pas de passer sur vous. Un de mes amis avait l'habitude de travailler en équipe avec son frère. Ce dernier se plaçait en haut de la colline et tenait le bout d'une corde qu'ils avaient attachée à la tondeuse. Grâce à ce support supplémentaire, mon ami pouvait tondre en travers de la pente jusqu'au sommet.

Arrosez profondément pour encourager la formation de racines solides.

L'arrosage

Un de mes voisins avait l'habitude de sortir de chez lui presque chaque soir d'été et de passer une demi-heure à arroser sa pelouse. Il restait planté là, à tenir le boyau, jusqu'à ce que la main lui gèle, puis il rentrait. Le gazon a besoin de beaucoup d'eau, mais arroser de cette façon, un petit peu chaque jour, fait plus de mal que de bien. Une pelouse qui ne reçoit pas suffisamment d'eau passe tout simplement à l'état dormant... tourne au brun et dort pendant un bout de temps, puis se réveille, toute verte, immédiatement après une averse. Parfois, on peut voir la couleur arriver, comme si quelqu'un allumait une lumière. Mais habituellement, les pelouses ont d'autres façons de nous laisser savoir qu'elles ont soif. Le gazon perd de sa vigueur et ne se relève pas après qu'on a marché dessus, si bien qu'on voit clairement les empreintes de pas, ou bien la couleur passe d'un vert lumineux à un vert-bleu terne. Toutefois, vous pouvez avoir une pelouse luxuriante tout l'été en vous assurant qu'elle reçoit au moins 2 cm d'eau par semaine. Si elle en reçoit moins de 2 cm, le sol ne sera mouillé qu'à une profondeur de quelques centimètres, ce qui encouragera la formation de racines superficielles qui mourront dès qu'il fera vraiment chaud. Un long arrosage de 2 cm détrempe un bon terreau jusqu'à une profondeur de 30 cm, davantage dans le cas d'un terreau sablonneux, moins s'il est argileux mais, dans tous les cas, suffisamment pour encourager la formation de racines là où le sol reste frais.

Pour déterminer si votre pelouse reçoit bien ses 2 cm d'eau, placez quelques bols sur le gazon quand l'arroseur est en marche et calculez combien de temps il faut pour les remplir de 2 cm d'eau. Vous saurez alors pendant combien de temps vous devez laisser l'arroseur en marche. Un pluviomètre installé dans un endroit d'accès facile vous indiquera quelle quantité de pluie est tombée en une semaine, et combien d'eau il vous faudra ajouter pour atteindre les 2 cm.

L'heure à laquelle vous arrosez n'a pas d'importance.

On n'a jamais prouvé qu'arroser au soleil de l'après-midi brûlait le gazon, ni qu'arroser le soir encourageait le mildiou ou autres maladies. Après tout, la rosée tombe sur le gazon le soir, et la nature sait habituellement ce qu'elle fait. Toutefois, puisque arroser en pleine chaleur gaspille l'eau par évaporation, et que vous avez probablement des choses plus intéressantes à faire le soir que de rester dehors pour promener votre arroseur, le matin est habituellement la période la plus pratique.

Le gazon a besoin de beaucoup d'azote, de phosphore et de potassium.

La fertilisation

Les gens qui n'aiment pas tondre leur pelouse n'aiment habituellement pas la fertiliser non plus. Peut-être pensent-ils que l'engrais ferait pousser le gazon davantage et qu'il y en aurait donc encore plus à tondre. Des seize éléments nécessaires pour avoir des plantes saines, le gazon a besoin de grandes quantités des trois principaux: l'azote, le phosphore et le potassium. Ils sont représentés par des nombres, dans cet ordre, sur tous les sacs et les boîtes d'engrais. L'azote donne de la couleur à votre pelouse, le phosphore encourage la formation de racines saines, et le potassium donne de la vigueur. Le gazon a aussi besoin de calcium, de magnésium et des autres éléments, mais il peut habituellement les puiser dans le sol, dans l'air et dans l'eau, sans avoir besoin d'aide additionnelle.

Les types d'engrais. Les engrais liquides, appliqués au moyen d'un boyau d'arrosage muni d'un pulvérisateur du genre Dial-a-Spray, ont un avantage distinct. Parce qu'ils sont déjà dissous ou mélangés à l'eau lorsqu'on les applique, les éléments sont assimilés facilement, alors que les engrais organiques doivent être décomposés par les bactéries du sol avant de pouvoir verdir votre pelouse. Le plus gros désavantage des engrais liquides, c'est que les éléments sont utilisés si rapidement qu'il faut appliquer plus d'engrais, plus souvent. La pulvérisation est une méthode de fertilisation efficace, surtout si vous avez une petite pelouse.

Le ver de terre commun est l'ami du jardinier. Ses excréments sont riches en matières organiques, nécessaires à la plupart des plantes, et il aide également à aérer le sol. Un ver de terre moyen produit environ 2,27 kg d'excréments par année.

Les **engrais granulaires** réguliers ont un effet presque aussi rapide que celui des engrais hydrosolubles et coûtent beaucoup moins cher au mètre carré. Parce qu'eux aussi sont absorbés très rapidement, il est préférable d'appliquer la moitié de la quantité recommandée pour une application, et de le faire plutôt en deux fois. Assurez-vous de distribuer l'engrais également, parce que si l'application est trop généreuse, ou si vous en renversez, vous pouvez brûler et même tuer votre gazon.

L'engrais granulaire à dissolution lente est le meilleur. Il ne brûlera généralement pas la pelouse si vous en mettez trop, et il relâchera les éléments nutritifs graduellement durant plusieurs semaines, ce qui assurera à votre pelouse une fertilisation continuelle. En fait, l'engrais à dissolution lente appliqué en automne retiendra même un peu des éléments nutritifs, qu'il relâchera au printemps quand le sol est encore trop mouillé pour une nouvelle application d'engrais. Si l'on considère la durée des effets et la grandeur de surface qu'un sac de ce genre d'engrais peut couvrir, le rapport qualité/prix est excellent.

Puisque les engrais sont comme des aliments, la comparaison qui suit est sans doute appropriée. De la même façon qu'un beignet au sucre donne un regain d'énergie de courte durée, les engrais concentrés à effet rapide retapent la pelouse rapidement, mais ne durent pas. Par contre, les engrais de première qualité, à dissolution lente et prolongée, agissent comme un repas complet, incluant le dessert.

La formule. L'azote est le plus important des trois éléments nutritifs nécessaires au gazon. Par conséquent, peu importe la formule que vous utilisez, le premier nombre, qui indique la proportion d'azote, devrait être le plus élevé.

Jusqu'à récemment, bien des gens croyaient qu'il fallait diminuer la quantité d'azote à l'au-

Appliquez toujours les engrais de façon égale, en vous servant d'un épandeur de qualité.

tomne, pour retarder la croissance juste avant l'hiver. Aujourd'hui, toutefois, on sait que lorsqu'on utilise des engrais à dissolution lente, l'azote qui n'a pas encore été absorbé au moment où le gazon passe en phase dormante est utilisé au printemps suivant.

Quand fertiliser

Avril/mai. Pour donner un bon départ à votre pelouse, appliquez un engrais du genre 20-10-5 à raison de 2 kg par 100 mètres carrés, et faites deux applications à plusieurs semaines d'intervalle, pour réduire le risque de brûlure qu'occasionnerait une

Aérer ouvre le sol et permet à votre pelouse de respirer.

seule application à taux double. C'est aussi le meilleur moment de l'année pour vous débarrasser de la digitaire tout en fertilisant votre pelouse. Jusqu'à ce que les lilas soient en fleur, vous pouvez appliquer un engrais printanier contenant un herbicide contre la digitaire. C'est un moment opportun pour l'application d'une formule « Weed'n'Feed ». Cherchez un engrais contenant du Killex et appliquez-le par temps chaud et sec, un jour où on ne prévoit pas d'averse avant quarante-huit heures.

Juillet/août. Votre pelouse n'a pas autant besoin d'azote durant les mois d'été. Appliquez une formule 20-10-5 à raison de 2 kg par 100 mètres, si votre pelouse en a besoin. C'est le moment de l'année où votre pelouse a vraiment besoin d'un arrosage hebdomadaire si vous voulez la garder verte.

Septembre/octobre/novembre. C'est le temps de l'application d'engrais la plus importante de l'année. Bien des gens s'étonnent lorsque je leur dis cela, mais c'est plein de bon sens. De la même façon qu'un ours consomme sa plus grande quantité de nourriture juste avant d'hiberner, votre pelouse a besoin d'être alimentée juste avant son repos de quatre mois. L'automne est aussi un temps propice pour se débarrasser des mauvaises herbes à larges feuilles, tels les pissenlits, le mouron des oiseaux et le plantain. Utilisez une formule pour l'automne, contenant de l'engrais et de l'herbicide, ou arrosez de Killex. Les pissenlits fleurissent après l'hiver, mais si vous les traitez à l'automne, vous n'aurez pas de jeunes fleurs jaunes sur votre pelouse le printemps suivant.

Quelle quantité d'engrais appliquer? Les informations qu'on retrouve sur les emballages de produits chimiques agricoles, y compris les produits pour la pelouse et le jardin, ont été obtenues par les fabricants au coût de plusieurs milliers de dollars et plusieurs années de recherches. Par conséquent, ces informations sont le guide le plus fiable que vous puissiez trouver. Chaque fois que vous appliquez des produits chimiques dans votre jardin, y compris des engrais, suivez les directives. Si vous ne savez pas combien de mètres carrés a votre pelouse, mesurez-la au pas (un pas normal mesure environ 0,6 mètre). Faites toujours des applications égales de la quantité spécifiée, en vous servant d'un épandeur à engrais de qualité.

Conseils

1. Appliquez les engrais, surtout ceux du genre Weed'n'Feed, après avoir bien arrosé le sol, et au moins 48 heures avant une averse possible.
2. Remplissez l'applicateur sur le trottoir, ou au-dessus d'un carré de toile. Même si vous êtes très prudent, vous risquez toujours de renverser de l'engrais si vous remplissez l'applicateur sur la pelouse.
3. Lorsque vous distribuez l'engrais, marchez sans arrêt et arrêtez le flot de l'engrais chaque fois que vous tournez, ou quelques instants avant de vous arrêter.
4. Si vous renversez de l'engrais sur la pelouse, ramassez tout ce que vous pouvez, puis inondez la région d'eau pour empêcher le gazon de brûler.

Si vous avez renversé de l'engrais contenant un herbicide contre les mauvaises herbes à larges feuilles, assurez-vous que l'eau ne coule pas dans votre jardin, car l'herbicide tuerait vos annuelles ou toutes autres fleurs à larges feuilles.

Le déchaumage

Si vous entretenez une pelouse depuis trois ans ou plus et ne l'avez jamais déchaumée, faites-le cet automne. Le gazon se pro-

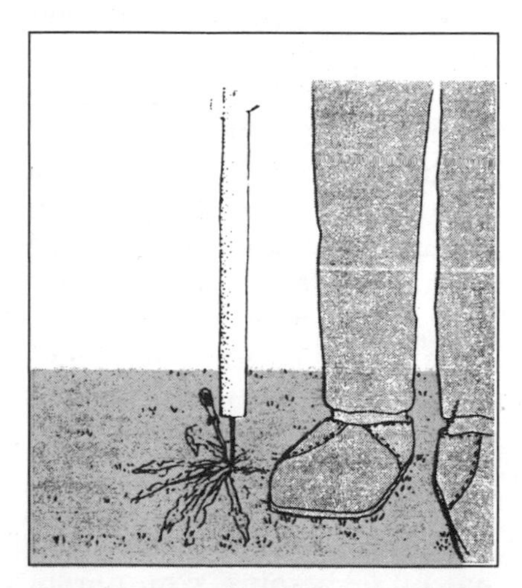

Les traitements localisés sont habituellement le meilleur moyen de se débarrasser des mauvaises herbes.

page par rhizomes, des tiges épaisses et semblables à des racines, qui partent de chaque plante pour en commencer de nouvelles à peu près tous les 2 cm. Une pelouse saine produit un tel réseau de ces rhizomes que l'air, l'eau et les engrais ont de la difficulté à atteindre les racines. Les déchaumeurs sont munis de couteaux verticaux qui coupent dans ce chaume épais. Ils sont disponibles dans la plupart des centres de location d'outils agricoles. Ils coupent dans le chaume et en remontent un peu à la surface. Vous pouvez déchaumer à l'automne ou au printemps. Malheureusement, le déchaumage est souvent suivi d'une invasion de mauvaises herbes parce que, lorsque vous ouvrez le chaume, vous donnez aux graines de mauvaises herbes un site où pousser, mais une application de Killex vous en débarrassera.

Les zones dénudées dans votre jardin sont parfois l'œuvre d'insectes ou de larves.

L'aération

Une circulation dense, le passage du temps, ou simplement les centaines d'averses qui tombent au cours des années compriment le sol sous la pelouse et tassent les racines. Aérer permet d'ouvrir le sol. Au lieu de couteaux, les aérateurs ont des tubes pointus qui relèvent des bouchons de terre, laissant sur leur passage des centaines de petits trous d'environ 10 mm de diamètre et de 5 à 8 cm de profondeur. Ces trous s'affaissent et ameublissent le sol sous le gazon. Vous pouvez aérer votre pelouse à n'importe quel moment, et c'est une étape qui en vaut la peine dans la réjuvénation de votre pelouse.

Les mauvaises herbes

Il existe deux sortes principales de mauvaises herbes: les mauvaises herbes à larges feuilles et les herbacées. Les plantes à larges feuilles peuvent être détruites avec du Killex contenant du 2,4-D, du dicamba et du mécoprop, des produits chimiques qui pénètrent dans la plante par les feuilles plutôt que par les racines. C'est pour cette raison que les herbicides contre les mauvaises herbes à larges feuilles ne détruisent pas le gazon.

Malheureusement, les herbes coriaces, comme le chiendent, ne peuvent pas être détruites chimiquement sans tuer le bon gazon qui les entoure. La meilleure chose à faire est de les arracher à la main et d'enlever tous les rhizomes pour ne pas qu'elles poussent. Les herbacées qui se reproduisent par graines, cependant, peuvent être contrôlées à l'aide de produits chimiques spécialement formulés pour elles, tel l'herbicide de préémergence contre la digitaire, qui peut aussi éliminer la sétaire jaune, le pâturin des prés annuel et le gratteron.

Je préfère les traitements localisés pour me débarrasser des mauvaises herbes, mais si les vôtres sont très répandues, vous pouvez vaporiser de l'herbicide ou répandre un engrais combiné à un herbicide. Ce traitement devrait se faire lorsque les mauvaises herbes ont bien poussé et que la température n'est pas trop élevée... et toujours selon le mode d'emploi indiqué sur l'emballage.

Les parasites

Les larves de scarabées, les chenilles, les taupins, les vers gris et les punaises peuvent tous être éliminés à l'aide de diazinon ou de Banisect. Les sections de pelouse en train de mourir, et qui ne démontrent aucun symptôme de moisissure ni de mildiou, se font probablement dévorer à la surface par des chenilles ou des punaises, ou au niveau des racines par des larves, des vers gris ou des taupins. Pour savoir ce qui se passe, relevez une section de pelouse sur le bord extérieur, et identifiez le parasite qui la dévore. Les taupes sont un véritable problème parce qu'elles creusent des galeries et font des crêtes dans votre pelouse, mais vous vous en débarrasserez si vous tuez les larves. Mais si, pour vous, ce sont les chiens étrangers qui sont un problème, vous ne vous en débarrasserez pas en tuant les larves. Seule une clôture solide résoudra votre problème. Si vous avez des trous dans votre pelouse qui affectent la forme d'un talon de soulier d'homme, cela signifie qu'il y a peut-être des mouffettes qui rôdent la nuit, à la recherche des larves que les taupes ont ratées. Elles aussi déménageront si vous contrôlez la population larvaire au moyen de diazinon ou de Banisect.

Les maladies

Les maladies qui affectent le plus souvent les pelouses ne sont pas causées par des bactéries, mais par des spores cryptogamiques, et il est rarement nécessaire d'utiliser des produits chimiques pour les combattre. La meilleure défense est la prévention: la tonte, l'arrosage et la fertilisation. Si vous accomplissez toutes ces tâches de la bonne façon, vous n'aurez pas de problèmes sérieux de maladies: en fait, vous n'aurez pas non plus de problèmes avec les mauvaises herbes: un bon coup sur la tige ou un petit jet d'herbicide Ever Ready, et tout rentrera dans l'ordre!

MAI

MAR	MER	JEU	VEN	SAM	DIM
	1	2	3 Récupérer rouleau chez Tony	4 Rouler gazon	5
7	8	9	10	11 Digitaire près clôture	12
14	15	16	17	18	19
21	22	23	24	25 Weed'n' Feed	26

Programme de soins de la pelouse

Suivez ce programme de soins, et vous aurez la plus belle pelouse du voisinage.

Chaque jour	1. Faites le tour de votre pelouse et examinez-la pour voir si elle pousse bien. Arrachez toutes les mauvaises herbes que vous voyez, de même que les fleurs de pissenlit et les graines. 2. Surveillez les indices de manque d'eau: vos empreintes restent visibles parce que les brins ne se relèvent pas après que vous avez passé; la couleur change de vert brillant à bleu-vert. 3. Arrosez et tondez quand c'est nécessaire.
Au printemps	1. Évitez de marcher sur votre pelouse si elle est encore mouillée et spongieuse: attendez qu'elle se soit affermie avant de commencer à travailler. 2. Semez généreusement, distribuez les semences dans les proportions recommandées, remplissez les dépressions de terreau et réparez les zones dénudées. 3. Ramassez les débris et toutes les épaves de l'hiver. 4. Passez le rouleau. 5. Appliquez un herbicide de préémergence contre la digitaire, avant la floraison des lilas. 6. Fertilisez avec un engrais riche en azote: 20-10-5.
En été	1. Très tôt en été, appliquez un engrais combiné à un herbicide, tel que Weed'n'Feed et, si nécessaire, un insecticide chimique. 2. Tondez et arrosez régulièrement (tondez *profondément* tous les 7 à 10 jours). 3. Si nécessaire, faites des applications localisées d'herbicide, d'insecticide et d'herbicide antidigitaire.

À l'automne	1. Semez à l'excès pour épaissir. 2. Aérez ou déchaumez, si nécessaire, au moins tous les trois ans. 3. Fertilisez avec un engrais de première qualité, à dissolution lente et prolongée. 4. Ramassez souvent les feuilles. Il n'y a plus beaucoup de soleil, et les feuilles tombées empêchent le gazon de recevoir la lumière et de s'alimenter en prévision de l'hiver. 5. Tondez une dernière fois, le plus court possible, puis préparez votre tondeuse pour l'hiver. 6. Videz votre robinet extérieur et votre système d'arrosage. 7. Évitez de marcher sur votre pelouse si elle est très mouillée.
En hiver	1. Ne faites pas de patinoire sur votre pelouse, et ne marchez pas dessus une fois qu'elle est gelée, à moins qu'elle soit couverte de neige, parce que le gazon gelé est cassant et vous risqueriez d'endommager sérieusement votre pelouse. 2. Si vous n'avez pas affûté la lame de votre tondeuse à l'automne, faites-le maintenant. Nettoyez et affûtez coupe-bordures, pelle, couteau à jardinage, râteaux, et essuyez le tout avec un linge huilé.

L'aménagement paysager

Chapitre 5

Les outils

Section 2 — L'aménagement paysager

Les outils

Lorsque vous achetez des outils de jardinage, choisissez toujours la meilleure qualité, peu importe le prix. Les outils de bonne qualité durent plus longtemps, et les avantages que vous en retirez, en termes de durabilité et de facilité d'emploi, compensent largement pour la petite différence de prix par rapport aux outils moins chers. D'ailleurs, si vous magasinez attentivement, la meilleure qualité peut parfois coûter moins cher que vous pensez.

Achetez des outils «forgés» plutôt que des outils découpés à l'emporte-pièce (le mot «forgé» est habituellement écrit quelque part sur l'outil). Le joint, c'est-à-dire la portion de métal dans laquelle le manche est inséré, devrait être relativement long, pour distribuer la pression. Les outils coupants (élagueurs, scies, cisailles, sécateurs) qui ont des lames en carbure d'acier resteront affûtés et dureront plus longtemps. Les outils devraient avoir le moins de joints possible. Une truelle dont la lame est soudée à la virole, l'extrémité insérée dans le manche, aura plus de points fragiles qu'une truelle toute d'une pièce.

Soulevez les gros outils avant de les acheter pour vous assurer qu'ils ne sont pas trop lourds pour vous; vous trouverez peut-être plus confortables des outils plus petits ou de grosseur moyenne. Vérifiez que les petits outils conviennent bien à votre main et soient faciles à manipuler. Essayez les cisailles avant de les acheter, pour voir si elles sont faciles à manier, et si vous n'êtes pas satisfait, continuez de chercher.

Les ventes de garage et les encans à la campagne sont des endroits fantastiques où trouver des outils; il n'est pas nécessaire, en effet, d'acheter des outils neufs pour en avoir de bons. Il faut garder l'oeil ouvert cependant, car les outils de jardin sont souvent cachés dans un coin lors de ventes de garage, ou jetés pêle-mêle avec des objets obscurs, lors des encans à la campagne. Si vous trouvez l'outil dont vous avez besoin et que le prix demandé vous semble raisonnable, achetez-le. On peut facilement changer un manche, enlever la rouille superficielle et affûter les lames. De plus en plus de gens emménagent dans des condominiums ou des appartements, de sorte qu'on peut profiter d'un grand nombre d'aubaines, si on est prêt à faire un petit effort. Une fois que vous avez acquis les outils, le plus important est de bien les entretenir. Ne les laissez pas dans le jardin ou appuyés contre un mur, à la pluie et au soleil. Affûtez-les avec une lime ou une pierre à aiguiser, chaque fois que vous les utilisez, et gardez-les propres entre chaque utilisation. Si vous trempez vos pelles et vos houes dans un seau de sable contenant 250 ml (une tasse) d'huile (l'huile que vous avez vidangée du carter de votre tondeuse fera l'affaire) la terre s'en détachera et elles recevront une couche protectrice contre l'humidité. Assurez-vous d'avoir un endroit où accrocher chaque outil, dans votre hangar ou votre garage.

Les outils dont vous aurez besoin

Les pelles. Les sortes que l'on voit le plus souvent sur le marché sont la pelle courte et carrée à manche en D, la pelle pointue à manche en D, et la pelle pointue à long manche. Les deux premières sont utiles pour les travaux courts et précis, comme pelleter du gravier ou du terreau, ou transporter des carrés de gazon. La pelle à long manche donne plus de prise lorsqu'on creuse des trous ou des tranchées. Des pelles qu'on voit moins souvent, mais qui sont très utiles pour des travaux spécialisés sont la pelle à manche en D à fer rond et plus long, qui sert à la transplantation; la pelle à manche long et droit, qui facilite

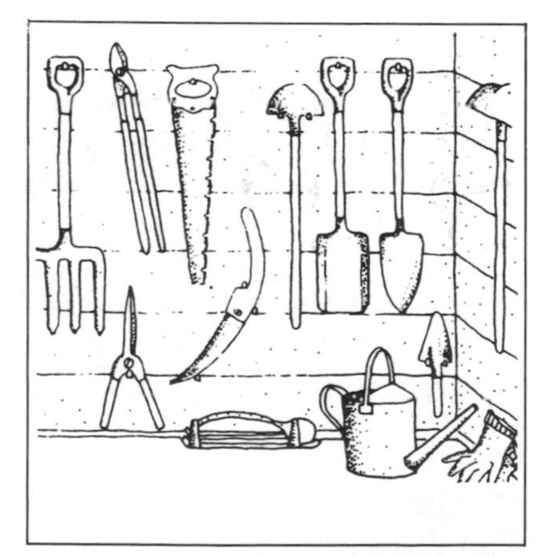

Chaque outil devrait être accroché dans un endroit spécial du hangar ou du garage.

le creusage de trous à côtés droits; et la petite pelle à manche court pour ramasser, comme un porte-poussière, les matériaux plus légers et les débris.

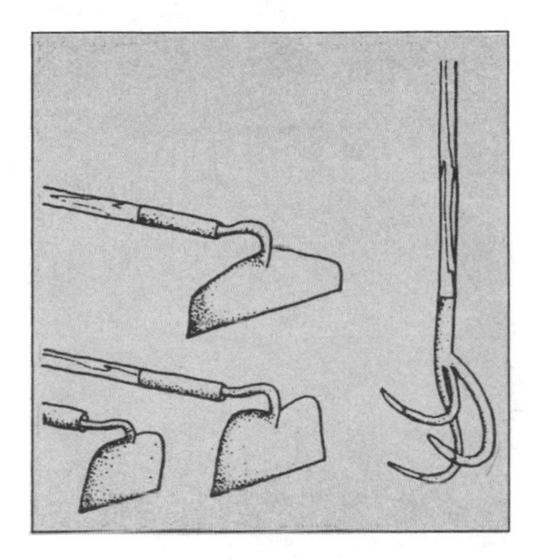

Les fourches. Il y en a deux sortes principales, et plusieurs variations de chacune: la fourche à manche en D, à quatre dents plates, utilisée pour retourner la terre, déterrer les pommes de terre ou les bulbes, et la fourche à fumier, à dents coupantes, qui sert à ramasser le fumier et les feuilles mortes ou à répandre de la paille. Les fourches devraient être faites d'acier trempé, pour éviter que les dents ne se déforment.

Les binettes et les sarcloirs. Ne les considérez pas seulement comme des outils pour le jardin, à moins que vous vous sentiez obligé d'arracher les mauvaises herbes à la main. D'accord, il est plus satisfaisant de tout arracher, y compris les racines, mais je préfère planter une binette ou un sarcloir sous un genévrier que de me faire égratigner le bras en essayant de faire le travail à la main. Une binette ou un sarcloir destiné spécialement au jardin de fleurs devrait avoir un manche plus court et une lame plus étroite pour permettre un meilleur contrôle, car peu de jardins

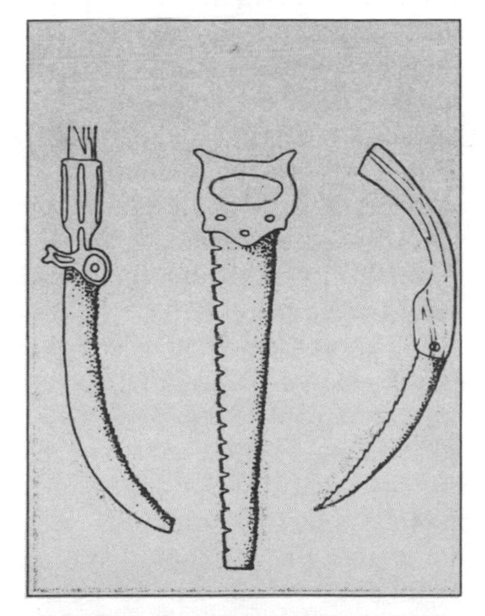

Achetez toujours des scies à lame fixe en acier durable.

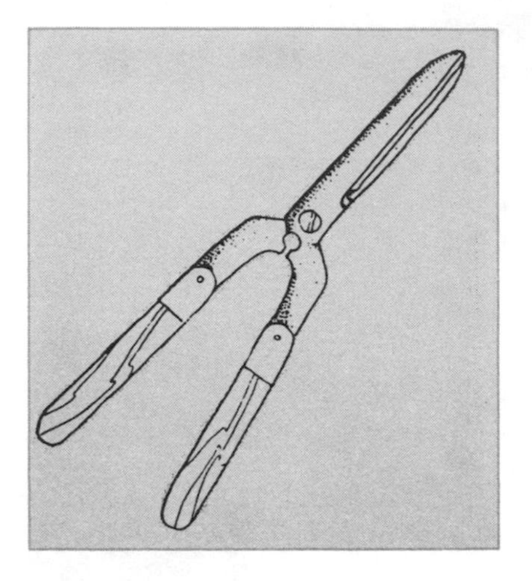

de fleurs ont des rangées bien droites, comme des carottes dans un jardin de légumes. Recherchez les binettes et les sarcloirs en acier trempé.

Les scies. Vous auriez un garage plein d'outils si vous achetiez un exemplaire de chaque genre de scie d'élagage qui existe sur le marché, mais à moins que vous ayez à scier beaucoup de branches de plus de 7 ou 8 cm de diamètre, une scie à lame courbée d'environ 45 cm fera l'affaire. Le point faible se trouve là où la lame est attachée au manche, surtout dans le cas d'une scie pliante, car il n'y a qu'un boulon pour tenir les deux morceaux ensemble; vous feriez donc mieux d'acheter une scie à lame fixe. Les manches de bois sont plus confortables et durent plus longtemps que les manches de plastique, si vous en prenez soin. Un acier de qualité est une nécessité, et lorsque vous achetez votre scie, achetez aussi une petite lime triangulaire pour la garder bien aiguisée.

Si vous avez des arbres fruitiers ou une rangée d'arbres à ombrage, vous voudrez peut-être acheter un élagueur à rallonge et à lames actionnées par une corde.

Les sécateurs ou cisailles à haies. Il n'y a pas grand-chose à dire à leur sujet, si ce n'est de chercher un bon acier. La lame ondulée dont sont munies certaines cisailles aide à tenir les branches d'arbustes en place pendant qu'on les coupe. Les cisailles électriques facilitent le travail.

Les pulvérisateurs. Il est préférable d'avoir deux pulvérisateurs: un pour les insecticides et un autre pour les herbicides. Vous n'avez pas alors à vous inquiéter de mélanger accidentellement les deux produits. Les pulvérisateurs à air comprimé sont plus coûteux, mais aussi plus pratiques que les pulvérisateurs à boyau d'arrosage.

Le pulvérisateur à boyau d'arrosage que je recommande est le nouveau Dial-a-Spray. Il ne coûte pas cher, dure des années, et vous permet de remettre dans le contenant d'origine le produit non utilisé. Achetez deux bouteilles pour votre Dial-a-Spray: une pour les insecticides/fongicides et l'autre pour les herbicides.

Chapitre 6

Les arbres et les arbustes

Les arbres et les arbustes

Vous pouvez planter un arbre n'importe où dans votre jardin et si vous en prenez soin, il poussera bien. Mais si vous avez une raison de le planter à un endroit particulier et que vous choisissiez la plante qui convient mieux à vos besoins, non seulement poussera-t-elle bien, mais elle attirera l'attention et l'admiration et augmentera la valeur de votre propriété. Mais ne vous contentez pas de cela. Soyez créatif. Vous pouvez même changer la forme d'une clôture en plantant des arbres et des arbustes qui la dépassent en hauteur et qui tombent en cascades devant elle. Bien que la clôture soit encore là, tout ce qu'on remarque, c'est la beauté du jardin.

Gardez à l'esprit que le meilleur déguisement pour corriger une apparence désagréable est d'ajouter quelque chose de plus attrayant.

Avant d'acheter un arbre

Lorsque vous allez à la pépinière pour acheter un arbre, apportez avec vous un plan ou une photographie de votre jardin. Faites un plan en dessinant une esquisse de votre cour et indiquez les pentes, les zones dénudées, les plates-bandes, etc.

Un grand nombre de pépinières ont à leur emploi des paysagistes qualifiés qui peuvent vous conseiller. Ils vous aideront à planifier votre paysage, à décider de l'arbre ou de l'arbuste que vous devriez planter à un endroit particulier, de façon qu'il mette en valeur ce qui pousse autour. Un arbre à feuilles caduques planté devant une fenêtre panoramique qui donne du côté sud, par exemple, vous protège du soleil en été, mais laisse passer les rayons de soleil en hiver. Un arbre à écorce attrayante vous permettra de jouir de sa couleur en hiver. Des plantes d'ornement bien placées peuvent aussi réduire de 18 % vos besoins en énergie.

L'autre facteur important à considérer avant de choisir un arbre, c'est son environnement idéal. Consultez la carte des zones climatiques pour vous

Les horticulteurs professionnels des pépinières peuvent vous aider à planifier votre aménagement paysager.

assurer que l'arbre que vous avez choisi peut vivre chez vous, bien que les pépiniéristes de votre région limitent habituellement leurs stocks à des arbres et à des arbustes assez rustiques pour survivre dans votre climat. Mais les considérations relatives à l'environnement vont plus loin que cela. Certains arbres, comme le tilleul, le ginkgo et le cerisier japonais, résistent bien aux gaz d'échappement des automobiles et à la pollution industrielle. Certains ont besoin d'un bon drainage et poussent mieux dans des sols élevés et caillouteux, alors que d'autres préfèrent les emplacements bas et détrempés. Le vent, l'éclairage, les averses de neige et les conditions du sol sont tous des facteurs qui doivent être pris en considération. Vous pouvez faire des amendements, par exemple installer une tuile à drainage, ajouter de l'humus à un sol argileux, mais mieux vous assortissez la plante à son environnement naturel, plus elle sera en mesure de remplir le rôle que vous lui avez assigné dans votre plan d'aménagement. Il vous faudra peut-être de votre temps pour penser à ce que vous voulez, pour regarder des photographies de votre maison et étudier des livres de références (les catalogues des pépinières vous aideront aussi), mais vos efforts seront récompensés. Aménager votre paysage augmentera la valeur de votre maison, sans parler des plaisirs que cela vous apportera.

Par où commencer

Faites une liste de vos buts. Certaines personnes peuvent désirer un terrain de jeu pour les enfants, alors que d'autres pensent en termes d'intimité et de diminution du bruit.

Gardez à l'esprit que vous créerez un environnement entièrement personnel, en vous servant du soleil, de l'ombre, de la couleur et des parfums. Décidez ce que vous voulez, puis partager cette information avec un professionnel. Le travail préparatoire que vous aurez fait vous aidera à obtenir exactement ce dont vous rêvez.

Comment choisir de bons arbres et de bons arbustes

Un fermier qui fait pousser des légumes pour le marché, du maïs pour nourrir les animaux, ou du blé pour produire de la farine investit une saison de travail en vue de la récolte, mais les cultivateurs de plantes destinées aux pépinières investissent jusqu'à trois et même cinq ans dans la culture d'arbres et de plantes à feuilles persistantes, avant de pouvoir les apporter à la pépinière pour les vendre. Lorsque quelqu'un investit autant dans une récolte, vous pouvez être assuré qu'on aura fait l'impossible pour vous apporter des plantes en bon état. Les arbres et arbustes de pépinières reconnues sont habituellement garantis, survivent bien à la transplantation et, avec des soins adéquats, poussent bien. Voici quelques points à surveiller. Examinez la forme de l'arbre ou de l'arbuste, pour voir s'il remplira l'espace que vous lui avez assigné dans votre plan d'aménagement. Un vieux dicton anglais dit, en par-

Les producteurs de plantes destinées aux pépinières mettent parfois jusqu'à dix ans pour produire un jeune arbre en vue de le vendre.

lant de personnes, qu'on peut «juger de l'arbre à la branche», et c'est vrai des arbres autant que des êtres humains. Bien qu'on puisse parfois faire des ajustements par émondage, vous aurez moins de travail sur la planche si vous choisissez un arbre droit dès le départ.

Plus encore, si vous voulez avoir éventuellement un grand arbre droit, choisissez-en un qui a un long tronc droit et assurez-vous que la pousse terminale, c'est-à-dire la branche principale en haut du tronc, n'est ni cassée, ni pliée, ni fourchue. Les pousses terminales fourchues limitent la hauteur et la rapidité de crois-

Le saviez-vous?
En Chine, la loi oblige chaque citoyen de plus de onze ans à planter de trois à cinq arbres par année. Comme la population de la Chine dépasse maintenant un milliard, la Chine sera bientôt des plus verdoyantes.

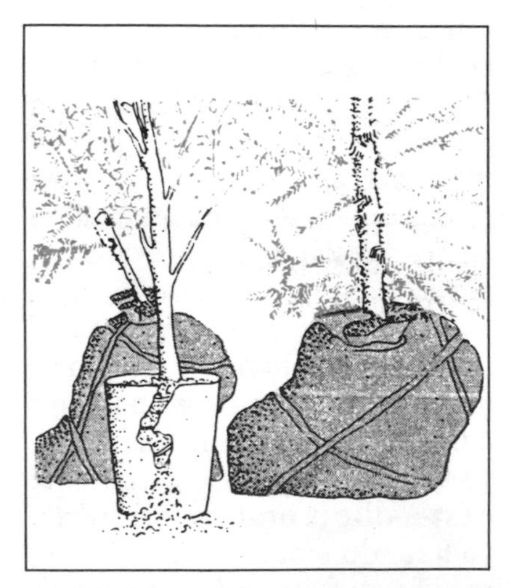

Lorsque vous achetez un arbre, méfiez-vous des contenants brisés et des boules de racines débalancées.

sance de l'arbre, et peuvent créer une tension suffisante pour que la fourche se casse à la jointure. Pour que les arbres et les arbustes s'étalent esthétiquement, choisissez ceux dont les branches sont espacées de façon régulière le long et autour du tronc. Certains jeunes arbres ont presque toutes leurs branches du même côté, ce qui est parfait si vous voulez les planter contre une clôture ou un mur. Dans un tel cas, en effet, un arbre ou un arbuste qui présente un côté plat serait idéal.

Une fois que vous avez choisi la forme que vous voulez, examinez bien l'écorce pour voir si vous n'y trouveriez pas des ébréchures, des coupures ou des meurtrissures indiquant que la plante a été manipulée durement. Les petites branches cassées ne sont pas un problème, parce que vous pouvez les élaguer, mais soyez prudent si une grosse branche est cassée ou endommagée. Cela s'applique aussi au tronc. S'il est fendu ou craqué, ou si la majeure partie de l'écorce est usée ou ébréchée, choisissez un autre arbre.

Voici des indices qui signalent que des racines ont peut-être été cassées ou endommagées en cours de récolte ou de transport : contenants brisés ou bosselés ; la boule de racines enveloppée de toile de jute est débalancée ; la boule de racines a des entailles profondes sur le dessus. Ces problèmes ne sont peut-être pas sérieux, mais si vous pouvez choisir une belle boule de racines bien ronde, enveloppée de jute, sans entailles, et un contenant qui a encore sa forme première, faites-le. Pourquoi courir des risques?

Parfois, les racines sont nues et simplement recouvertes de sciure de bois humide pour les empêcher de s'assécher. Votre choix est alors facilité, parce que vous pouvez examiner les racines pour juger de leur état.

Ne transportez pas vos arbres ou arbustes par le tronc. Soulevez-les plutôt par le contenant ou par la toile de jute de la boule de racines, sinon le poids de la terre humide entourant les racines risquerait de les endommager.

La plantation des arbres et des arbustes

Planter un arbre ou un arbuste, c'est faire un investissement et, du moins au début, vous êtes le seul à fournir des intérêts. Mais une fois votre investissement arrivé à maturité, vous en retirerez un plaisir esthétique et de l'ombre fraîche en été, de même qu'un support contre lequel vous

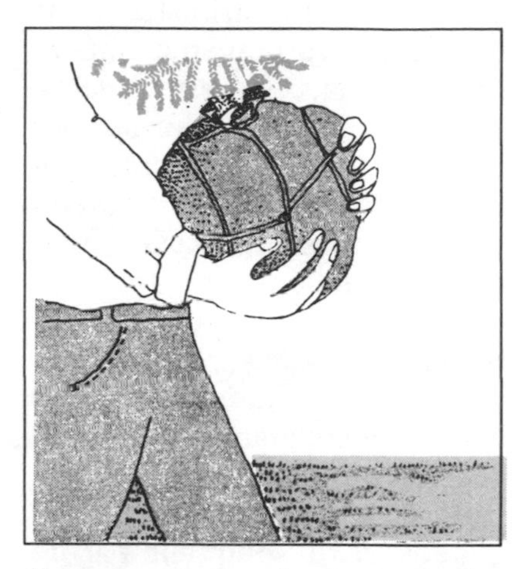

Ne transportez jamais un nouvel arbre par le tronc. Soulevez-le plutôt par la boule des racines pour ne pas les endommager.

appuyer pour regarder votre gazon pousser. Et, plus pratique encore, vous aurez quelque chose qui, non seulement produit de l'oxygène, mais consomme aussi du monoxyde de carbone.

Ce dont vous aurez besoin. Une pelle, une brouette, un grand carré de toile, un sécateur, de la corde de tente ou du fil métallique, des tuteurs, un petit morceau de vieux boyau d'arrosage, du compost ou un autre amendement de matières organiques, de l'engrais liquide Plant Start 5-15-5 et de l'eau.

L'emplacement. Vous savez déjà où vous voulez planter votre arbre ou votre arbuste. C'est indiqué sur votre plan d'aménagement, mais il reste encore quelques détails à considérer. Un arbre qu'on plante près d'un chemin doit être planté de façon que les grosses branches inférieures pointent en direction opposée au chemin. Quand l'arbre grossit, les branches ne s'élèvent pas plus haut du sol que lorsqu'il a été planté. Une branche située à un mètre du sol sur le tronc du jeune arbre sera encore à un mètre du sol quand l'arbre aura atteint sa maturité; par conséquent, les grosses branches qui poussent au-dessus du chemin devraient être situées, sur le tronc de l'arbre, à au moins deux mètres du sol.

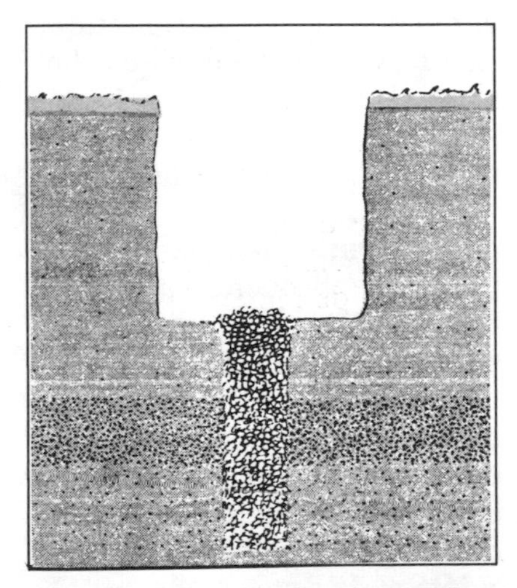

Pour obtenir un bon écoulement dans un terrain argileux, creusez une cheminée jusqu'au sous-sol sablonneux et remplissez-le de gravier.

Un arbre ou arbuste à racines nues devrait être placé de façon que la racine principale pointe en direction du vent dominant, habituellement le nord-ouest, afin de lui donner un bon support. La plante devrait être placée assez loin de la maison pour éviter que l'avant-toit et les murs ne l'empêchent de recevoir sa juste part de soleil et de pluie. Quand on plante des arbres ou des arbustes près de murs ou d'autres structures permanentes, il faut aussi prendre en considération la taille qu'atteindront ces arbres et arbustes à maturité. J'ai connu un grand nombre de propriétaires qui, après avoir planté un arbre trop près de leur maison, ont été obligés de l'enlever juste comme il atteignait la plus belle phase de son développement. Notre liste d'arbres et d'arbustes vous donnera une bonne idée de la taille que peut atteindre chaque espèce. Si vous plantez un bosquet de bouleaux ou d'érables, ou votre propre mini-verger, vous devez prévoir la taille qu'atteindront ces arbres à maturité, et vous assurer que vous ne les plantez pas trop près les uns des autres. Votre bosquet aura peut-être l'air un peu dénudé au début, mais il finira par se remplir.

Cela est vrai aussi pour les arbustes et les haies, bien qu'ils soient un peu plus faciles à déplacer si, après quelques années, vous vous rendez compte qu'ils sont trop rapprochés. Les forsythies s'étendent jusqu'à deux mètres, et la plupart des genévriers exigent un espace d'au moins un mètre et demi. Même si vous voulez que des branches s'entrecroisent, il ne faut pas placer les plantes si proches les unes des autres qu'elles doivent se battre pour l'eau et les éléments nutritifs. Les arbustes destinés à former une haie que vous avez l'intention de garder en deçà d'un mètre, devraient être plantés à intervalle de trente centimètres. Quarante-cinq centimètres est un bon intervalle pour les haies plus hautes, selon l'espèce et la variété que vous avez choisies.

La plantation. À en croire un vieux dicton: «Il vaut mieux planter un arbre de 5 $ dans un trou de 50 $ que de faire l'inverse», et le dicton a raison. Le trou est l'endroit où votre arbre ou votre arbuste devra vivre pendant plusieurs années, sans compter que, plus vous mettez d'efforts à creuser votre trou, plus vite vous en récolterez les bénéfices.

Boule de racines enveloppée de toile de jute.

Quand planter. Le meilleur moment pour planter est à l'automne, quand les arbres et les arbustes sont à l'état dormant. À ce moment-là, les arbres à feuilles caduques ont perdu leurs feuilles, et les nouvelles pousses des arbres à feuilles persistantes ont eu le temps de s'endurcir en prévision de l'hiver. Les racines auront le temps de s'établir avant que le sol gèle, et se mettront à pousser dès le dégel. Les plantes sont aussi au stade dormant au début du printemps, mais si le printemps se fait attendre ou qu'il pleut beaucoup, vous aurez des problèmes. De plus, si vous attendez pour planter, de nouvelles pousses risquent d'apparaître avant que le

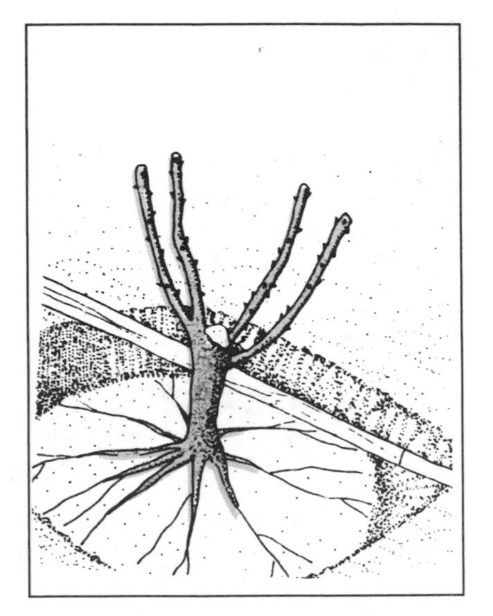

Espacez les racines à intervalles réguliers.

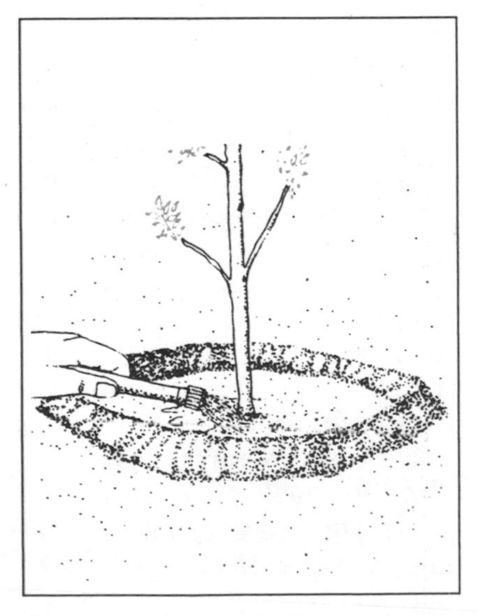

L'arrosage du nouvel arbre.

sol soit suffisamment sec pour creuser. Toutefois, depuis quelques années, les arbres et les arbustes à fleurs sont vendus dans des contenants de fibre. Cela signifie que vous pouvez les planter n'importe quand, sans risque de choc pour la plante puisque vous n'avez pas à déranger les racines. Les pots de fibre se désagrègent en quelques mois en sol humide, ce qui permet aux nouvelles racines de les traverser facilement pour s'ancrer dans le sol.

Comment planter

1. *Creusez le trou.* Il devrait faire deux fois la largeur et une fois et demie la hauteur de la boule de racines. C'est important parce que les racines en formation ont besoin de pouvoir pousser dans un sol bien amendé pendant les deux ou trois premières années. Mettez la terre du trou dans une brouette ou sur un carré de toile.
2. *Vérifiez l'écoulement.* Ceci est très important. Avant de remettre la terre amendée dans le trou, remplissez-le d'eau puis attendez qu'elle s'écoule. L'eau devrait être disparue au bout d'une heure, mais s'il lui faut beaucoup plus de temps, c'est-à-dire deux heures ou plus, vous pouvez faire l'une des deux choses: vous pouvez planter un

arbre ou un arbuste qui préfère un sol détrempé, un saule ou un frêne blanc par exemple, ou vous pouvez améliorer l'écoulement.

Si votre problème est une couche d'argile dure, que vous atteindrez en creusant encore environ 30 cm, pratiquez une ouverture d'environ 15 cm de diamètre dans cette couche d'argile, pour atteindre le sous-sol sablonneux. Remplissez cette cheminée de gravier et jetez l'argile. Si cette méthode ne fonctionne pas, consultez un expert. Il vous faudra peut-être installer un système de drainage. Toutefois, le simple fait de creuser plus profondément s'est avéré efficace dans la plupart des cas que j'ai connus.

3. *Amendez le sol.* À moins que le sol que vous ayez creusé soit un bon terreau riche (certaines personnes sont chanceuses), il vous faudra ajouter et mélanger à la terre de la mousse de tourbe en quantité équivalente au tiers de la terre du trou, et une pelletée de fumier décomposé ou de compost.

4. *Plantez l'arbre ou l'arbuste.* D'abord, remettez dans le trou suffisamment du mélange de terre et de mousse pour que la ligne du sol de l'arbre (la ligne sur le tronc qui marque la différence de textures de l'écorce) dépasse le sol d'environ 7 cm,

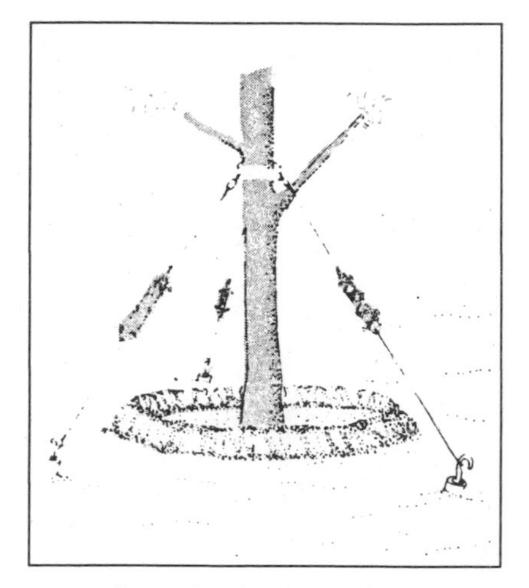

La meilleure façon de tuteurer un arbre, c'est d'utiliser trois tuteurs et de la corde à tente.

quand on place l'arbre dans le trou. Entassez bien la terre amendée avant de déposer la plante dans l'excavation.

Étendez les racines des plantes à racines nues, pour qu'elles soient droites et également espacées. Coupez les racines trop longues pour la largeur du trou et toutes celles qui sont brisées ou décolorées. Une fois l'arbre ou l'arbuste en place, remplissez le trou au tiers et entassez la terre fermement. Puis arrosez, pour établir un bon contact entre les racines et le sol ; ajoutez un autre tiers de terre, entassez et arrosez de nouveau. Puis remplissez complètement et tassez légèrement pour que la nouvelle terre

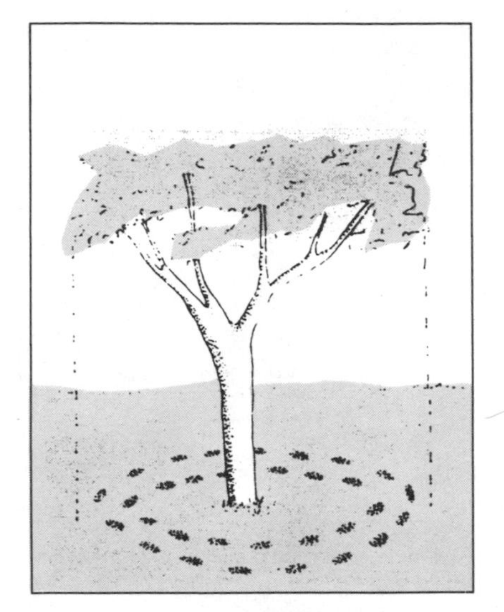

Fertilisation avec bâtonnets, selon la ligne d'écoulement de la pluie.

Sans émondage, votre jardin peut devenir une véritable jungle.

soit de niveau avec le sol environnant.

Les boules de racines enveloppées dans de la toile de jute doivent être traitées de la même façon. Mais juste avant de remplir complètement le trou, détachez la toile et dégagez la boule de racines pour que le reste du terreau les recouvre et se mêle au sol qui est attaché. Si on laisse la toile fermée sur les racines, elle agira comme la mèche d'une lampe et sapera toute l'humidité de la boule de racines.

Avant de planter, retirez tout contenant qui ne se désagrège pas dans le sol, tels les contenants de plastique ou de métal. Il est très important de ne pas déranger les racines ni le sol qui les entoure, quand on plante un arbre ou un arbuste qui a des feuilles, et il vous faudra peut-être couper le contenant pour l'enlever, si vous ne pouvez en sortir la plante facilement. Les plantes au stade dormant peuvent être retirées des contenants et plantées comme si leurs racines étaient nues.

Les plantes contenues dans des pots de fibre peuvent être plantées directement, du moment que vous enlevez le bord et que vous fendez les côtés pour permettre aux racines de s'échapper dans le sol. Remplissez le trou selon la méthode

utilisée pour les plantes à racines nues.
5. *Arrosez.* Chaque fois que vous plantez un arbre ou un arbuste, vous devriez construire tout autour une bordure de terre d'environ 7 cm de haut, à peu près au même niveau que la partie supérieure de la boule de racines, et remplir d'eau le bol qui en résulte. Si vous avez planté à l'automne, arrosez de nouveau quelques jours plus tard. Puis, chaque fois que le dessus du sol s'assèche, répétez le processus jusqu'à ce que la terre gèle. Un arbre nouvellement planté au printemps devrait être trempé d'eau une seule fois, puis arrosé d'une solution de Plant Start 5-15-5 et d'eau. Un ou deux jours plus tard, répétez le processus, mais sans engrais. Le reste de la saison, arrosez chaque fois que les deux premiers centimètres de sol deviennent secs. Les arbres ou arbustes contenus dans des pots de fibre et qui sont plantés en été auront besoin de beaucoup d'eau pour éviter que les feuilles se fanent, et pour aider le pot de fibres à se désagréger. Il est très important toutefois de ne pas arroser excessivement, car l'arbre risquerait de dépérir par manque d'oxygène. Vous pouvez aider votre arbre à conserver son humidité en le protégeant du

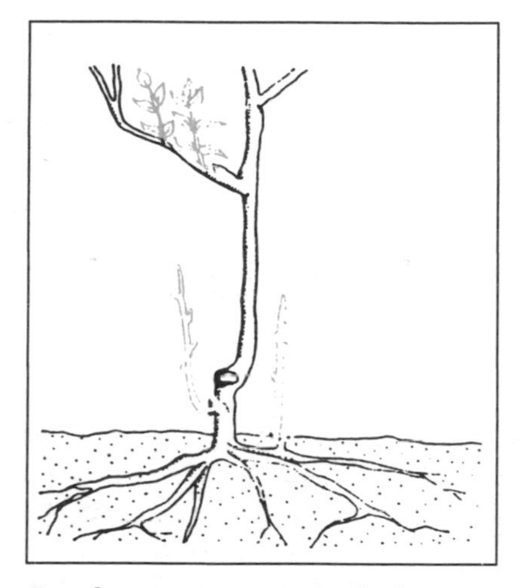

Les drageons et gourmands devraient être coupés chez les arbres à fleurs et à fruits.

soleil ardent du midi, et en arrosant ses feuilles d'eau tiède de temps à autre.
6. *Faites un paillis.* Une bonne couche de feuilles, d'écorce de pin, d'écales de fèves de cacao ou d'autre matière du genre, répandue autour de l'arbre ou de l'arbuste récemment planté, gardera le sol humide et frais durant le printemps et l'été, et retardera la pénétration du gel à l'automne, de sorte que les racines auront suffisamment de temps pour se développer avant de s'endormir.
7. *Placez des tuteurs.* Toute plante de plus de 60 centimètres aura besoin de support pendant au moins un an. La meilleure méthode est celle qui utilise trois

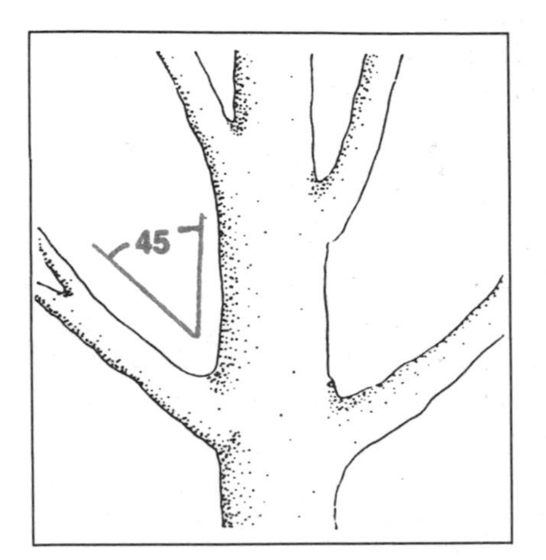

Les branches qui forment un angle supérieur à 45 degrés sont fortes ; celles de moins de 45 degrés devraient être enlevées.

Comment mesurer les racines

En règle générale, la longueur des racines d'un arbre est de 30 cm pour chaque 2 cm de diamètre du tronc.

tuteurs et de la corde de tente. Les tuteurs devraient être placés à une distance de l'arbre équivalant à la moitié de sa hauteur et enfoncés dans le sol à environ 25 cm, à un angle de 45 degrés, à intervalles réguliers autour de l'arbre.

Un tuteur unique enfoncé tout près du tronc aura souvent pour effet d'endommager les racines et de devenir une installation permanente, si le tronc et les racines se mettent à l'emprisonner en poussant.

La fertilisation

Les arbres et les arbustes n'ont vraiment besoin d'engrais que lorsqu'ils sont établis depuis plusieurs années. S'ils sont entourés de gazon, l'engrais que vous appliquez sur votre pelouse leur fournit habituellement tous les éléments nutritifs dont ils ont besoin. Toutefois, un petit coup de pouce ne nuit jamais.

Il y a trois types principaux d'engrais.

Les engrais en bâtonnets sont des cylindres durs d'engrais de différentes formules à dégagement lent, que l'on plante dans le sol à coups de marteau. Commencez à la ligne d'écoulement de l'eau des branches, c'est-à-dire à l'endroit où la pluie tombe des branches, en allant vers le tronc. Placez un bâtonnet tous les 45 cm le long de la ligne d'écoulement, puis faites un autre cercle plus près du tronc, à 45 cm du premier, et répétez jusqu'à ce que vous ayez atteint le tronc.

Les engrais à dissolution lente, sous forme granulaire et contenant des oligo-éléments, peuvent être utilisés exactement de la même façon que les bâtonnets, sauf qu'il faut creuser des trous de 2 cm de large et de 10 cm de profondeur, mettre une poignée d'engrais dans chacun et refermer la terre.

Les engrais liquides sont les plus efficaces lorsque le sol en dessous de l'arbre ou de l'arbuste est dénudé et qu'il n'y a pas d'autres plantes qui leur volent leur nourriture.

L'émondage

La peur est le sentiment le plus souvent exprimé lors des cliniques d'émondage que nous organisons chaque année dans nos pépinières. La plupart des gens craignent de causer des dommages permanents à leurs arbres ou à leurs arbustes et se contentent d'égaliser l'extérieur de l'arbre, plutôt que de vraiment émonder. Il ne faut pas grand temps à un arbuste pour s'étendre dans toutes les directions si on l'abandonne à ses propres

La première étape de l'émondage consiste à enlever toutes les branches mortes ou endommagées.

moyens. D'abord, il est presque impossible de tuer un arbre ou un arbuste par émondage. Quiconque possède un acacia, un tremble ou un vinaigrier pourra témoigner à l'effet que, même lorsqu'on coupe ces arbres au ras du sol, il en pousse de nouveaux à partir des racines. Quand la nature procède à son propre émondage, par le vent, la pluie verglassante ou la neige, de nouvelles branches poussent pour remplacer celles qui sont tombées. Donc, non seulement des dommages permanents sont-ils très improbables, mais un émondage judicieux est essentiel pour obtenir de beaux arbres et arbustes. Vous n'avez pas besoin d'al-

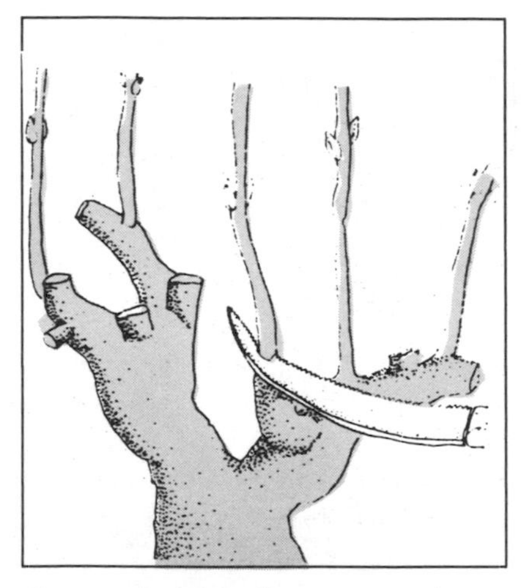

Coupez les nouvelles pousses chaque année, en ne laissant que deux ou trois bourgeons.

ler loin pour voir ce qui arrive quand on n'émonde pas du tout. Une ferme abandonnée est souvent entourée d'un mur de lilas, qui produiront peut-être des masses de fleurs une année, pour n'en produire que quelques-uns ici et là l'année suivante.

Un pommier non émondé produira de grandes quantités de petites pommes au bout de ses branches, qui ploieront alors sous leur poids et même casseront. Les haies deviennent des rangées d'arbres embroussaillés. N'ayez donc pas peur d'émonder. Vos arbres et vos arbustes vous en seront reconnaissants et votre jardin aura meilleure apparence d'année en année.

Ce dont vous aurez besoin. Des cisailles, un ébrancheur, une scie à émondage, un couteau, quinze mètres de corde de qualité, des gants de jardinage, des lunettes protectrices, de la peinture à émondage, un pinceau et une échelle.

Tous les outils coupants doivent être bien affûtés, pour éviter d'endommager les arbres et les arbustes, ou de vous blesser, et l'échelle doit être fermement ancrée. Si possible, demandez à quelqu'un de la tenir.

Comment émonder les arbres. La plupart des arbres ont besoin de peu d'émondage. Toutefois, le catalpa Parasol fait exception à la règle et doit être gardé sous contrôle. À l'automne, quand il est au stade dormant, coupez toutes ses branches, en ne laissant qu'un tronc de deux à trois mètres couronné de bouquets de moignons de branches. Ainsi émondé, le catalpa, un arbre à croissance rapide, forme un beau globe au bout du tronc, toujours de même grosseur et de même forme.

Les arbres fruitiers et les arbres à fleurs sont d'autres exceptions. Si on les abandonne à leurs propres moyens, leurs branches pousseront si près les unes des autres que les fruits et les fleurs n'auront de place que sur les bouts extérieurs de ces branches. Si on ne corrige pas la situation, la productivité baisse, et les fruits et les fleurs deviennent plus petits.

La première étape consiste à couper toutes les branches mortes le plus près possible du tronc ou de la branche principale, sans endommager l'écorce. Les drageons, qui sont très nombreux sur les arbres fruitiers et les arbres à fleurs apparentés, comme le pommetier à fleurs, doivent aussi être coupés à la branche principale ou au tronc, et vous devriez ensuite aplanir les moignons en les limant, pour prévenir la croissance d'autres drageons aux mêmes endroits. Il faut aussi enlever toute branche faible ou endommagée, la couper à la base ou le plus près possible de la branche latérale la plus vigoureuse. Souvent, cette première étape est la seule nécessaire mais, pendant que vous reprenez votre souffle après ce premier accès d'activité, examinez l'arbre de plus près pour voir s'il n'y a pas autre chose à faire.

La seconde étape consiste à enlever les branches qui s'entrecroisent, qui frottent les unes contre les autres et usent l'écorce, ce qui expose l'arbre aux infestations d'insectes et aux maladies. Dans un tel cas, il faut enlever une des branches et réparer l'autre. Le choix de la branche à couper vous sera dicté par votre bon sens. Peut-être une branche est-elle plus endommagée que l'autre, ou plus faible, ou moins importante à la forme générale de l'arbre? Peut-être son absence sera-t-elle moins flagrante? En tout cas, il vaut la peine de prendre le temps de réfléchir.

Une haie de plus de 1,2 mètre de haut doit être biseautée pour que le soleil puisse en atteindre toute la surface.

La troisième étape est plus importante pour les arbres fruitiers que pour les autres, mais dans les régions où il neige beaucoup, elle peut prévenir les dégâts de l'hiver, empêcher que les branches de n'importe quel arbre soient cassées par la neige et la glace. Les branches qui poussent

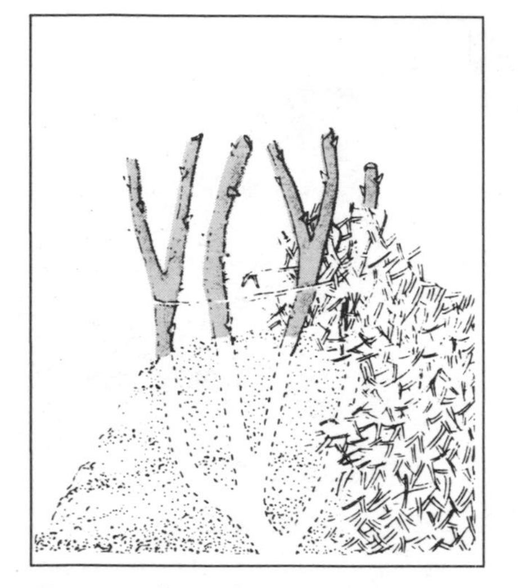

Faites une butte de terreau recouvert de paillis autour de vos rosiers pour les protéger contre l'hiver.

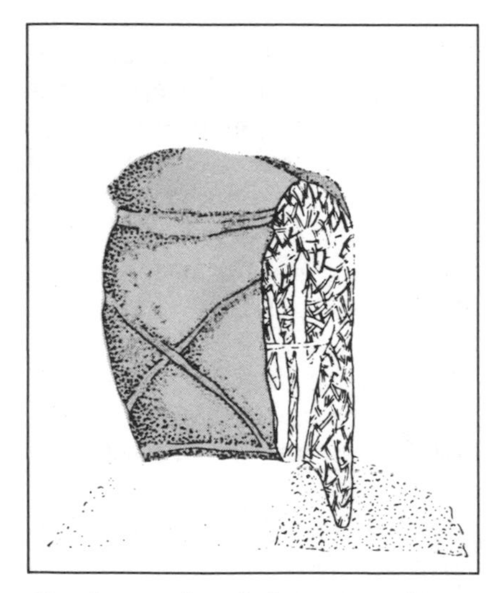

Enveloppez de toile de jute vos arbustes à feuilles persistantes pour les protéger contre l'hiver.

à un angle inférieur à 45 degrés par rapport au tronc sont faibles et devraient être coupées. Idéalement, vous voulez des branches à angle droit, espacées régulièrement de haut en bas et autour du tronc. Vous pouvez guider de jeunes branches en les entretoisant ou en leur accrochant des poids.

Enfin, l'examen de votre arbre aura peut-être mis au jour la nécessité de faire quelques ajustements. Faites toutes les tailles le plus près possible du tronc. Ne laissez pas de moignons parce qu'ils nuisent à l'apparence de l'arbre et l'exposent aux maladies. Enduisez de peinture à émondage toutes les plaies que vous avez laissées sur l'arbre et qui mesurent plus de 2 cm de diamètre.

Quand émonder. Émonder durant le stade dormant de l'arbre, de la fin de l'automne jusqu'au début du printemps, encourage la croissance de nouvelles pousses sur le site de la taille. Émonder durant l'été retarde la croissance de nouvelles pousses. Toutefois, les arbres dont la sève coule rapidement au printemps, tels l'érable, le bouleau, le noyer et le mûrier, ne doivent pas être taillés durant le stade dormant, parce que l'écoulement de sève par la plaie peut donner lieu à des tensions considérables dans l'arbre. On ne doit émonder ces arbres que lorsqu'ils ont toutes leurs feuilles.

L'émondage des arbustes. La première chose à faire pour reprendre le contrôle d'un arbuste qui s'étale partout est d'enlever toutes les branches mortes, faibles ou endommagées. Parfois, un arbuste qui a été négligé pendant des années peut être rajeuni par ce premier élagage.

Les arbustes qui n'ont pas été émondés depuis leur plantation auront besoin de soins supplémentaires. Enlevez un tiers des branches au niveau du sol, en commençant par celles dont l'écorce est velue. Ces branches sont moins vigoureuses et produisent moins de nouvelles pousses, moins de fleurs et de feuilles et devraient être enlevées du chemin des jeunes branches, plus productives.

Maintenant, reculez, regardez la forme de votre arbuste et comparez-la à la forme que vous envisagez dans votre plan d'aménagement. Les branches qui dépassent la ligne que vous avez prévue peuvent être taillées près de la branche latérale la plus vigoureuse ou le bourgeon le plus robuste. Pour éviter de donner un choc à l'arbuste, ne coupez pas plus du tiers des branches, au maximum absolu.

Protégez vos plantes contre la neige et la glace qui tombent du toit, en les recouvrant d'une tente de contre-plaqué.

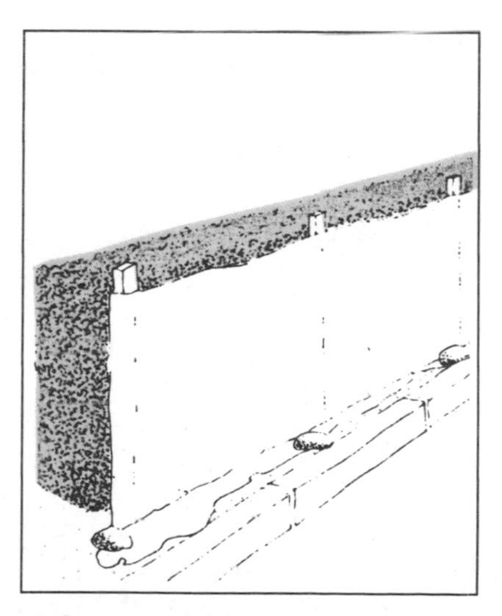

Utilisez une feuille de plastique épais pour protéger contre le sel les haies plantées en bordure des routes.

Les jeunes arbres, et ceux à écorce tendre, ont besoin de support et de bandages contre les rigueurs de l'hiver.

Saviez-vous que...
Un pommier moyen produit suffisamment d'oxygène au cours de sa vie pour alimenter une personne durant quatre ans. Au cours d'une période de quatre ans, une personne aspire et expire plus de 33 millions de fois, et inspire plus de 22 tonnes métriques d'oxygène.

Il vous faudra peut-être attendre la saison suivante avant d'émonder un autre tiers des branches pour donner à votre arbuste la taille que vous désirez.

Certains arbustes, surtout les lilas, ont tendance à avoir des drageons qui poussent de leurs racines, parfois à un mètre ou un mètre et demi de la plante principale. Vous devriez les arracher au niveau des racines, plutôt que de les couper au ras du sol. Quand vous avez fini de nettoyer, mettez sous l'arbuste un paillis d'écorce de un centimètre d'épaisseur, de la largeur du feuillage, pour protéger les racines et prévenir la croissance de drageons.

Pour garder sous contrôle les arbustes à feuilles persistantes à croissance rapide, coupez les nouvelles pousses chaque année, en ne gardant que deux ou trois bourgeons, et coupez les branches qui ont produit des fleurs. Cette méthode augmentera la robustesse de la base de la plante et encouragera une croissance plus touffue. Certains arbustes, comme le magnolia, poussent si lentement qu'ils n'ont pas besoin d'autre émondage qu'un nettoyage occasionnel des branches brisées.

Il n'est pas facile de maîtriser la forme des arbres à feuilles persistantes, mais puisque vous avez choisi les conifères pour leur forme naturelle — étendue, droite ou globulaire — vous ne devriez pas avoir beaucoup de travail à faire pour modeler leur forme. Toutefois, vous pouvez garder le contrôle des épinettes, des pins et des sapins en coupant, chaque année, la moitié ou le tiers des nouvelles pousses vert tendre. En passant, vous pouvez remplacer la branche directrice brisée (la pointe de l'arbre) d'un conifère, en guidant vers le haut une des branches supérieures. Attachez un bâton solide au tronc, de sorte qu'il dépasse le bout de l'arbre brisé, et attachez une des branches supérieures au bâton de façon qu'elle pointe vers le haut. Bientôt, cette branche prendra la direction de l'arbre, poussera et produira des branches, exactement comme la branche directrice première l'aurait fait.

Quand émonder. Les arbustes à floraison printanière produisent généralement des fleurs sur les tiges de l'année précédente; par conséquent, les lilas, les forsythies, les seringas et les autres qui fleurissent avant de produire de nouvelles branches devraient être émondés dès que les fleurs se fanent, au début de l'été. Ils ont alors le reste de la saison pour produire de nouveaux bourgeons. Les arbustes qui produisent des fleurs sur les nouvelles tiges — genêts, hortensias, rosiers, spirées — peuvent être émondés lorsqu'ils sont au stade dormant, ou lorsque les bourgeons s'ouvrent au printemps.

Les oiseaux sont attirés par trois choses: de la nourriture, de l'eau et un abri.

L'émondage des haies. La façon la plus simple d'élaguer une haie, c'est de mettre vos mains dans vos poches et de payer quelqu'un d'autre pour le faire. Vous pouvez aider. Vous pouvez tenir la corde qui démarque la ligne de coupe droite supérieure. Vous pouvez tenir l'échelle. Vous pouvez même ramasser les débris. À la fin de la journée, vous aurez une haie que vous pourrez admirer sans que vos mains aient été

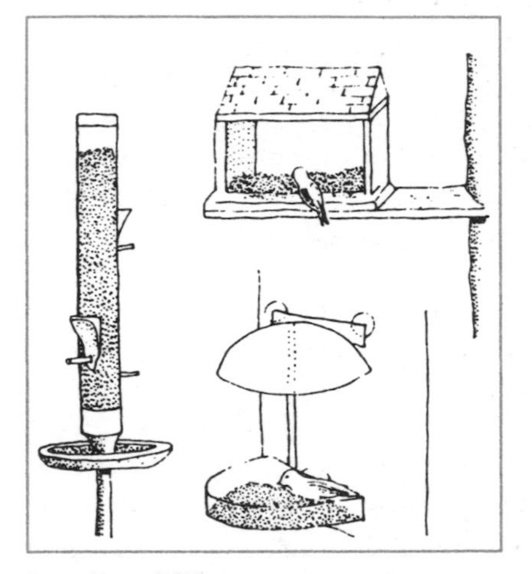

Installez différentes mangeoires pour attirer différentes espèces d'oiseaux.

engourdies par les vibrations des cisailles. Mais que vous fassiez le travail vous-même ou que vous le confiez à quelqu'un d'autre, il y a quelques règles qu'il ne faut pas oublier.

N'essayez pas de transformer une haie protectrice de deux mètres de hauteur en une bordure de un mètre. La plupart des espèces de haies prennent quelques années avant de produire de nouvelles pousses sur les vieilles branches, et vous vous retrouveriez avec une bordure chauve sur le dessus, et trop large pour sa hauteur. Vous pouvez tailler la plupart des haies jusqu'à la base des pousses de l'année précédente, à la condition de garder un ou deux bourgeons sur les nouvelles branches. Procédez à cette taille lorsque la haie est dormante puis, lorsque les bourgeons s'ouvrent, enlevez les deux tiers de la nouvelle tige, en laissant quelques tiges de feuilles où pousseront les nouveaux bourgeons l'année suivante.

Vous aurez la tâche beaucoup plus facile avec une haie si vous partez à zéro. Les nouvelles haies d'arbustes à feuilles caduques doivent perdre le tiers de leur taille un an après la plantation. Puis, chaque année suivante, coupez les nouvelles pousses de moitié jusqu'à ce que la haie atteigne les dimensions que vous désirez; maintenez-la ensuite à la hauteur voulue en coupant les nouvelles tiges à leur base, chaque année.

Contrôlez les haies d'arbustes à feuilles persistantes, c'est-à-dire les épinettes, les pins et les sapins, en coupant chaque année la moitié ou les deux tiers des nouvelles pousses. Taillez les cèdres, les cyprès et les haies à petites feuilles en vous servant d'une cisaille à haies. Les haies à grosses feuilles, tels les seringas et les lilas, doivent être coupées avec un sécateur manuel plus petit, une branche à la fois, de façon à ne pas laisser des moitiés de feuilles laides qui bruniront.

Qu'elles soient formées d'arbustes à feuilles caduques ou à feuilles persistantes, les haies basses peuvent avoir des côtés verticaux, mais dès qu'elles atteignent plus de 1,2 mètre de hauteur, vous devriez les tailler en fuseau, du bas vers le haut, pour que le soleil puisse atteindre toute la haie. Si la base de votre haie est dans l'ombre, ses branches inférieures finiront par céder, et votre haie aura l'air d'une dame de l'époque victorienne qui relève ses jupes de peur qu'elles touchent le sol mouillé.

Quand procéder à la taille. Comme pour les arbustes, élaguez les haies à floraison printanière quand les fleurs sont fanées. Les autres haies à fleurs peuvent être taillées pendant la dormance.

Mesures de protection en vue de l'hiver

Quand le vent vous mord le cou, que la pluie roule dans vos bottes et que le froid vous transforme les doigts en glaçons, vous êtes peut-être tenté de dire que les plantes ont survécu à l'hiver pendant des milliers d'années sans aide humaine. C'est vrai, mais n'oubliez pas que l'homme a altéré ces plantes pour qu'elles produisent plus de fleurs et des fruits plus gros. Dans certains cas, les plantes poussent à des endroits où les hivers sont beaucoup plus froids que ceux où vivaient ces plantes à l'origine ; il est donc de notre responsabilité de les protéger.

Ce dont vous aurez besoin. Du terreau, des feuilles ou un autre paillis moelleux, des colliers à rosiers en plastique, des pieux, du contre-plaqué, de la corde, du fil métallique, de la toile de jute, des feuilles de plastique, des enveloppes de toile pour emballage des arbres, une brocheuse, du ruban gommé à plomberie ou une autre sorte de ruban adhésif efficace.

La méthode. Vous voulez protéger toutes sortes de plantes contre les animaux affamés, les vents déshydratants, le froid, la glace et la neige. Ce que vous devez faire dépend donc de la sorte de plante que vous voulez protéger, et de l'endroit où elle se trouve.

Le saviez-vous?
La Chine emploie présentement 45 millions de personnes au reboisement et a fait de la plantation d'arbres un cours obligatoire dans les écoles.

Les roses. Bien qu'elles puissent survivre à des conditions extrêmement pénibles, l'histoire des roses est profondément enracinée dans des zones climatiques plus tempérées, par exemple l'Alberta («le pays des roses sauvages»). Peu importe où vous vivez au Canada (sauf pour quelques régions de la côte ouest), je vous recommande de protéger vos roses contre l'hiver. La plupart des espèces ont besoin d'être protégées contre le froid, et surtout contre le cycle de dégel et de gel qui se produit en février et en mars.

Dès que les roses tombent en dormance en novembre ou décembre, enlevez toutes les feuilles mortes, les fleurs et les gratte-culs, et entourez la base de la plante de terreau, de façon à recouvrir le bourgeon d'union d'au moins 15 cm de terre. Prenez le terreau ailleurs dans le jardin. Si vous remontez la terre de la base des rosiers, vous ne ferez qu'exposer davantage leurs racines au froid de l'hiver. Mettez une couche épaisse de paillis par-dessus le terreau. Enlevez la butte de sol au printemps, une fois la terre dégelée.

Les arbustes à feuilles persistantes. Le plus gros problème qu'ils ont en hiver, c'est la déshydratation. En septembre, il faut les arroser plus souvent, surtout s'ils sont placés en dessous des avant-toits. Puis enveloppez les arbres à feuilles persistantes droits dans des enveloppes de toile et ancrez-les au sol au moyen de pieux. Cela protégera la plante contre la perte d'humidité en hiver. Les arbustes à feuilles persistantes de forme étendue ou horizontale, comme certaines espèces de genévrier, ont rarement besoin d'une protection quelconque.

Le deuxième gros problème auxquels les arbustes à feuilles persistantes et les autres plants de fondation ont à faire face, c'est à la neige et à la glace qui tombent des toits. Vous devrez peut-être construire une tente de bois pour les protéger, ou les envelopper dans des filets de plastique avec vexar.

Les haies. Toute plante située en bordure d'une route doit être protégée contre le sel en hiver. Un mur de plastique épais broché à des pieux fera l'affaire, de même qu'une autre feuille placée sur le sol et retenue par des pierres. Toutefois, prenez garde à l'effet de serre les jours de grand soleil. En dépit de la température ambiante, celle sous le plastique peut s'élever suffisamment pour dégeler le sol. Assurez-vous donc que le plastique soit ventilé, ou bien ombragé par la neige et les paillis.

Les arbres. Les arbres fruitiers, et tous les autres arbres à écorce tendre, peuvent devenir un véritable banquet en hiver pour les lapins et les souris des champs. Il faut donc les protéger au moyen de peinture répulsive, ou en les enroulant de bandages professionnels, à partir du sol et jusqu'à 30 cm ou plus au-dessus de la neige. Les spirales de plastique pour arbres peuvent s'avérer efficaces, à la condition d'être bien ajustées au tronc de l'arbre. S'il y a trop d'espace entre l'arbre et la spirale, vous risquez d'y trouver des souris en train de déjeuner à même l'écorce de votre arbre. Si elles dévorent une bonne partie de l'écorce tout autour de l'arbre, il est possible que votre arbre en meure.

Je préfère utiliser des bandages pour arbres, fabriqués d'un goudron spécial, pris en sandwich entre deux épaisseurs de papier élastique et qu'on appelle parfois bandages «Forces».

Les jeunes arbres, surtout ceux qui viennent juste d'être plantés, ont besoin de support en hiver. Le vent fouette les jeunes arbres et craque leur écorce, ce qui les rend vulnérables aux infestations de parasites et aux maladies.

Comment attirer les oiseaux

Des oiseaux dans votre jardin peuvent être tout aussi efficaces que les insecticides dans le contrôle des insectes. Les hirondelles et les martinets dévorent les maringouins et les mouches noires, même s'ils ne le font pas assez vite à mon goût. Les jolies petites fauvettes dévorent chaque jour l'équivalent de leur poids en mites et autres insectes. Les attrape-mouches, les pics, les loriots, les passereaux, les roitelets, les grives et beaucoup d'autres oiseaux mangent les insectes et les larves, et même les voleurs de semences peuvent être utiles lorsqu'ils se nourrissent de graines de mauvaises herbes.

Une autre bonne chose que font les oiseaux, c'est de nous offrir de la couleur en hiver. Quand on voit une mangeoire à oiseaux, les arbres et le terrain qui les entourent tous couverts de geais bleus, de gros-becs, de mésanges à tête noire, de cardinals, de linottes et de fringillidés pourpres, on arrive presque à croire qu'il fait chaud dehors et que les fleurs sont épanouies.

On attire les oiseaux avec trois choses: de la nourriture, de l'eau et un abri. Donnez-leur suffisamment de chacun et les oiseaux viendront nombreux. Ils peuvent prendre quelques semaines à se rendre compte que vous leur avez construit un havre, mais une fois qu'ils savent où trouver les trois choses dont ils ont besoin, ils viendront régulièrement.

Comment nourrir les oiseaux. Il est important de commencer en octobre à nourrir les oiseaux qui ne vont pas dans le Sud, car c'est à ce moment-là qu'ils établissent leurs quartiers d'hiver. Les oiseaux-mouches, toutefois, commencent à s'approvisionner à la fin du printemps et reviennent régulièrement durant tout l'été.

La nourriture. Une façon rapide et facile de nourrir les oiseaux (à part lancer des croûtes de pain dans la neige) est d'installer une mangeoire à oiseaux et de la remplir de graines. Vous pouvez utiliser n'importe quel mélange de graines sur le marché mais, une fois encore, vous aurez plus de succès en optant pour la qualité. Les mélanges de graines économiques contiennent souvent des graines de remplissage sur lesquelles les oiseaux lèvent le nez... pardon, le bec. Les meilleurs mélanges contiennent habituellement de plus petites graines, et au moins 15 % de graines de tournesol, de sorte que vous obtenez plus de graines au kilo; et puisque les oiseaux mangent à peu près toutes les graines, il leur faut plus de temps pour venir à bout d'un sac de 20 kg. Vous attirerez plus d'oiseaux d'espèces différentes si vous installez deux ou trois sortes de mangeoires et que vous les remplissez de différents mélanges de graines. Les longs tubes de graines de chardons attireront les petits fringillidés comme les linottes et les chardonnerets. Les grosses brutes, comme les geais bleus, ne peuvent atteindre les graines de ces genres de mangeoires et n'éloigneront donc pas les oiseaux plus petits. Les plus gros oiseaux peuvent partager les mangeoires à plates-formes avec les écureuils, et les graines disséminées permettront aux bouvreuils ardoises, qui mangent au sol, de se nourrir sans être ennuyés par les plus gros oiseaux, qui préféreront les plates-formes. La plupart des oiseaux préfèrent les petites graines de tournesol noires, aussi appelées graines de lin, aux grosses graines de tournesol rayées, et bien que les graines de lin soient plus chères à l'achat, vous obtenez plus de graines au kilo.

Une autre mangeoire qui donne d'excellents résultats est la mangeoire pour oiseaux-mouches. Assurez-vous toutefois qu'elle soit toujours remplie de la nourriture appropriée, sinon les oiseaux ne reviendront pas.

Vous pouvez attirer les oiseaux-mouches dans votre jardin en plantant des annuelles et des arbustes à fleurs aux couleurs vives, surtout ceux qui produisent des masses spectaculaires de fleurs foncées, comme le sauge écarlate. En fait, la plupart des arbustes à baies et des arbres attireront les oiseaux tout au long de l'été: la corme, l'aubépine, l'osier rouge, le houx, le pommetier, le mûrier et le framboisier.

Les arbres et arbustes auxquels des graines restent attachées tout au long de l'hiver, tel le sureau, attireront des volées d'oiseaux affamés. Les groseilliers, les hêtres, les canneberges et les sorbiers des oiseleurs attirent les gros oiseaux mais, malgré tout, votre appât le plus attrayant reste la mangeoire.

L'eau. Les baignoires d'oiseaux doivent être remplies non seulement en été, mais durant toute l'année parce que les oiseaux continuent d'avoir soif en hiver. À moins qu'il fasse vraiment très froid, un seau d'eau chaude versé chaque jour dans la baignoire empêchera qu'il se forme de la glace.

L'abri. Les petits oiseaux ont besoin d'endroits où se cacher. Par conséquent, si vous placez votre mangeoire à oiseaux près de grands arbustes, les petits oiseaux pourront disparaître temporairement quand les gros oiseaux arriveront, pour revenir quand ils se sentiront en sécurité. Les arbustes épais, comme les troènes et les cèdres, sont attirants, mais les arbustes à feuilles persistantes offrent un avantage supplémentaire. Plantés du côté du vent par rapport à la mangeoire et à la baignoire, ils peuvent servir d'écran protecteur. (Tout en assurant toute cette protection, cependant, assurez-vous une vue sans encombre de votre fenêtre, sinon vous vous priverez du plaisir de voir les oiseaux.) Le seul problème, quand les arbres et les arbustes sont trop près de la mangeoire, c'est qu'ils donnent aux écureuils un accès facile aux graines et aux oiseaux. Mais puisque les écureuils arrivent à surmonter à peu près n'importe quelle barrière qu'on peut leur dresser, pourquoi pas céder et mettre sur le sol des épis de maïs séchés? Peut-être à ce moment-là laisseront-ils les mangeoires tranquilles.

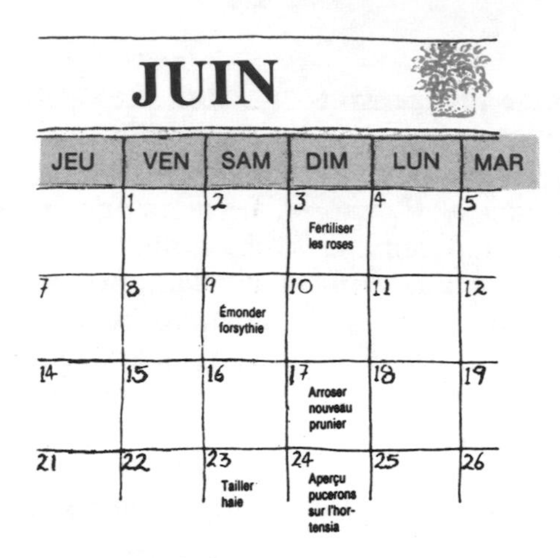

Programme de soins pour votre jardin

Mois	Procédés
Janvier/février	1. Tracez votre plan d'aménagement. 2. Mettez de l'eau dans la baignoire d'oiseaux et de la nourriture dans la mangeoire à chaque jour. 3. Vérifiez vos structures protectrices sur les haies et les arbustes qui longent la route, et réparez-les si nécessaire. 4. Enlevez les branches qui ont été brisées par le vent ou la glace. 5. Donnez un support aux branches couvertes de neige ou de glace.
Mars/avril	1. Émondez les arbres fruitiers et les arbustes à floraison estivale. 2. Enlevez les structures de protection contre le sel et la glace. 3. Plantez des arbres à feuilles caduques et des arbres à feuilles persistantes dès que le sol est assez sec pour pouvoir creuser. 4. Semez vos légumes et vos annuelles à l'intérieur.

Mars/avril *(suite)*	5. Pulvérisez une huile pour arrosage à l'état dormant sur tous vos arbres et arbustes à feuilles caduques. 6. Fertilisez et appliquez un herbicide préventif contre la digitaire (voir notre livre intitulé: le *Guide québécois des mauvaises herbes, insectes nuisibles et maladies*).
Mai/juin	1. Fertilisez les arbres et les arbustes (surtout les rosiers). 2. Coupez les nouvelles pousses des arbres à feuilles persistantes. 3. Élaguez les haies. 4. Élaguez les arbustes à floraison printanière, quand les fleurs sont fanées. 5. Fertilisez votre pelouse avec du 20-10-5 à dissolution lente.
Juillet/août	1. Vaporisez de l'insecticide et du fongicide, surtout sur les roses et les arbres fruitiers. 2. Taillez les haies, les érables et les bouleaux. 3. Mettez sous les rosiers des paillis d'écorce de pin ou d'écales de fèves de cacao. 4. Arrosez généreusement vos arbustes. 5. Fertilisez votre pelouse et enrayez les mauvaises herbes au moyen de Weed'n'Feed.
Septembre/octobre	1. Plantez des arbres à feuilles persistantes. 2. Arrosez vos arbres à feuilles persistantes, surtout ceux qui poussent sous les avant-toits. 3. Pulvérisez du fongicide sur les roses. 4. Semez du gazon.

L'aménagement paysager

Chapitre 7

Les arbres et les arbustes d'ornement

Arbres à feuillage caduque

Arbre	Zone climatique	Hauteur (mètres)	Forme	Remarques
Aulne (Alnus)	3	12-15	irrégulière droite	Croissance rapide; bon écran. Préfère les sols humides.
Frêne d'Austin (Fraxinus Pennsylvanica)	2	12-15	étendue	Feuillage jaune et brillant à l'automne; résiste au vent; préfère sols humides.
Frêne blanc (Fraxinus americana)	3	15-21	arrondie	Feuilles jaunes à pourpre foncé à l'automne; croissance rapide; supporte sols humides et argileux.
Sorbier des oiseleurs (Sorbus aucuparia)	3	6-9+	pyramidale	Feuilles composées à nombreuses folioles. Baies brillantes, orange à rouges, à l'automne. Peut devenir très haut, mais sujet aux attaques des insectes perceurs.
Hêtre américain (Fagus grandifolia)	4	18-24+	pyramidale	Croissance lente; très ombreux; belle écorce grise.
Hêtre pourpre (Fagus sylvatica «cuprea»)	5	15-21+	pyramidale	Croissance lente; feuillage pourpre foncé à cuivre.

Arbre	Zone climatique	Hauteur (mètres)	Forme	Remarques
Hêtre pleureur	6	15-21	pendante	Plantez où les branches pendantes peuvent toucher le sol.
Bouleau à papier (Betula papyrifera)	2	9-15	droite	Écorce la plus blanche de tous les bouleaux ; feuillage jaune à l'automne.
Bouleau pleureur (Betula verrucosa «gracilis»)	2	9-12	pendante étendue	Très ombreux ; idéal pour endroits restreints. Sujet aux attaques de l'oiseau de bronze perceur.
Catalpa du Nord (Catalpa speciosa)	5	15-21	arrondie	Grosses feuilles tardives au printemps ; fleurs blanches et longs haricots. Croissance rapide.
Catalpa parasol (Catalpa bignioides «nana»)	5	4-6	arrondie	Forme classique unique.
Marronnier d'Inde (Aesculus hippocastanum)	5	12-21	étendue pyramidale arrondie chez les vieux arbres	Grosses feuilles composées ; pyramides de fleurs blanches tachetées de rouge ; marrons abondants, non comestibles. Croissance lente.

Arbre	Zone climatique	Hauteur (mètres)	Forme	Remarques
Pommier à feuilles de prunier (Malus)	2-5	4-9	étendue pyramidale	Nombreuses variétés ; fleurs spectaculaires rouges, roses ou blanches au printemps. Quelques espèces canadiennes très rustiques.
Orme d'Amérique	3	30	caractéristique, en parasol	Décimé par la maladie hollandaise de l'orme qu'on peut prévenir, mais non guérir, au moyen d'un pesticide contre le scarabée japonais. Croissance relativement rapide ; en train de réapparaître dans de nombreuses régions rurales.
Orme chinois	5	6-9	droite	Croissance rapide ; bon écran ou haie ; résiste à la maladie hollandaise de l'orme.
Ginkgo	4	12-18+	conique	Fruit de mauvaise apparence ; l'arbre femelle sent mauvais : ne plantez que des arbres mâles.

Arbre	Zone climatique	Hauteur (mètres)	Forme	Remarques
Ginkgo *(suite)*				Croissance lente et apparence peu élégante lorsque jeune, mais embellit en vieillissant. Presque indestructible face à la maladie et à la pollution.
Aubépine	2-6	6-12	arrondie	Nombreuses espèces, dont la plupart portent de petites fleurs blanches et des fruits rouge vif. Grosses épines sur la plupart des espèces, donc bonnes clôtures. Très robuste, résiste bien à la maladie et à la pollution.
Caryer à noix douces	4	18-24+	irrégulière	Écorce grise poilue; fruits comestibles. Ressemble à un marronnier d'Inde miniature.
Ostryer de Virginie (Ostrya virginiana)	3	9-15	arrondie	Croissance lente, écorce gris foncé, feuilles rougeâtres. Difficile à transplanter, mais résiste à la pollution, une fois établi.

Arbre	Zone climatique	Hauteur (mètres)	Forme	Remarques
Tilleul (Tilia cordata)	2-5	9-18	pyramidale	Nombreuses variétés. Grappes de fleurs parfumées suivies de fruits ronds. Feuilles comestibles en salades; fibres de l'écorce utilisées en Europe pour fabriquer de la corde et fleurs utilisées en parfum. Bon arbre de ville, résiste à la pollution; très ombreux.
Acacia blanc (Robinia)	4	15-18	en parasol	Peut être attrayant, mais sujet aux attaques du perceur de l'acacia et autres parasites. Fleurs odoriférantes en longues grappes, suivies de petites gousses.
Érable rouge (Acer rubrum)	3	15-18		Feuilles rouge vif à l'automne. Rustique. Résiste mal à la pollution
Érable platane (Acer platanoides «globosum»)	5	6-9	arrondie	Arbre populaire dans les parcs, le long des allées, etc. Résiste aux

Arbre	Zone climatique	Hauteur (mètres)	Forme	Remarques
Érable platane *(suite)*				insectes et aux maladies. Feuilles jaunes à l'automne.
Érable de Norvège (Acer platanoides)	5	9-15	pyramidale	Le plus populaire en ville. Résiste à la pollution. Vitesse de croissance moyenne à rapide. Feuilles jaune vif à l'automne.
Érable à sucre (Acer saccharum)	4	15-21	pyramidale	La feuille est représentée sur le drapeau du Canada. Très rustique, mais pas à la ville. Croissance lente au début, mais rapide une fois qu'il est établi. Feuilles d'automne orangées et rouges.
Érable argenté (Acer saccharinum)	3	15-21	pyramidale	Feuilles à découpage très prononcé, à dessous argenté. Croissance très rapide, exige beaucoup d'espace. Tolère l'humidité excessive. Feuilles jaunes à l'automne. Non

Arbre	Zone climatique	Hauteur (mètres)	Forme	Remarques
Érable argenté *(suite)*				recommandé pour sites restreints.
Mûrier blanc (Morus Alba «pendula»)	3	7-13+	étendue	Tolère sol pauvre et sécheresse. Fruits noirs qui tachent. Plantez loin des allées et patios.
Chêne des marais (Quercus palustris)	4	12-18+	conique branches inférieures pendantes	Pousse dans les sols acides. Feuilles rouge vif à l'automne. Difficile à transplanter.
Chênc rouge (Quercus rubra)	3	15-21	arrondie étendue	Chêne à croissance la plus rapide. Feuilles rouges à l'automne. Jeune, il se transplante facilement.
Chêne blanc (Quercus alba)	4	18-24	étendue	Croissance lente; seuls les jeunes plants se transplantent bien; feuillage rouge vin qui tombe très tard à l'automne.
Mélèze d'Europe (Larix decidua)	3	12-18	pyramide étroite, forme ouverte irrégulière à maturité	N'est pas un arbre à feuilles persistantes puisqu'elles deviennent jaune vif et tombent à l'au-

Arbre	Zone climatique	Hauteur (mètres)	Forme	Remarques
Mélèze d'Europe *(suite)*				tomne. Beau vert attrayant au printemps quand poussent les nouvelles feuilles.
Sycomore londonien (Platanus)	5	15-18	étendue	Écorce bronzée caractéristique, qui s'effrite pour révéler une écorce jaune en dessous. Pousse bien en ville.
Tremble (Populus)	1-5	9-30+	étroite et droite à droite conique	Nombreuses variétés, toutes à croissance rapide. La plupart ne vivent pas longtemps et ont des racines envahissantes. Sujet aux chancres et aux attaques d'insectes perceurs.
Noyer noir (Juglans nigra)	3	18-27+	globulaire	Il faut deux arbres pour une récolte de noix abondante. Exige sol riche, beaucoup d'eau et pas de voisins. Les sécrétions des racines nuisent aux plantes avoisinantes.

Arbre	Zone climatique	Hauteur (mètres)	Forme	Remarques
Saule (Salix)	3-5	4-18+	globulaire	Croissance rapide. Donne de l'ombre rapidement. La plupart ont besoin d'humidité pour s'épanouir. Nombreuses variétés. La plupart ont des racines envahissantes.

Arbres à feuillage persistant

Arbre	Zone climatique	Hauteur (mètres)	Forme	Remarques
Cèdre blanc (Aborvitae Thuja)	3	4-9	étroite conique	Pas un vrai cèdre, malgré son nom; les vrais cèdres poussent rarement en dehors des zones 7 ou 6. Feuillage en branches plates, vert brillant mais brunit lors d'hivers durs. Besoin d'humidité. Bon écran ou haie.
Sapin baumier (Abies)	1	12-21	étroite conique	Besoin d'humidité et d'un bon drainage. Forme conique presque

Arbre	Zone climatique	Hauteur (mètres)	Forme	Remarques
Sapin baumier *(suite)*				parfaite quand on lui donne suffisamment d'espace.
Épinette de l'Alberta (Picea glauca «conica»)	4	1-2	pyramidale	Ne pousse que de 2 à 5 cm par année. Pyramide parfaite, feuillage vert tendre. Exige plein soleil et protection en hiver (toile à sac) dans la plupart des régions.
Épinette blanche (Picea glauca)	2	15-21		Rustique, fiable, excellent brise-vent, croissance rapide. Feuillage légèrement teinté de bleu.
Épinette du Colorado (Picea pungens)	2	15-21	pyramidale	Très populaire comme arbre d'ornement sur la pelouse. Feuillage vert pâle. Forme pyramidale parfaite quand on lui donne suffisamment d'espace. Excellente comme écran d'arbres à feuilles persistantes.

Arbre	Zone climatique	Hauteur (mètres)	Forme	Remarques
Épinette de Norvège (Picea abies)	3	18-24	pyramidale	Branches fortes qui pleurent ou pendent à maturité. Croissance rapide. Excellent brise-vent.
Épinette de Norvège (Picea abies «nidiformis»)	3	0,9-1,2	étendue	Croissance lente. Feuillage vert tendre. Forme de pelote à épingles, dessus plat. Excellente dans les jardins de rocailles.
If japonais (Taxus cuspidata)	4	4-6	dense, étendue ou droite	Croissance rapide, plus rustique que les autres ifs. L'arbre femelle porte des fruits rouge vif. Facile à élaguer pour lui donner la forme et l'espace désirés.
If paysan (Taxus hicksi)	5	1-3	droite en colonne	Adopte une forme de colonne sans émondage. Se prête bien à l'élagage pour former une haie. Donne de bons résultats, à la ville comme à la campagne.

Arbre	Zone climatique	Hauteur (mètres)	Forme	Remarques
Pin noir (Pinus nigra)	2	12-18	dense pyramidale	Arbre d'ornement à feuilles persistantes le plus populaire dans les provinces de l'Est. Croissance de rapidité moyenne avec peu ou pas d'émondage. Feuillage épais et dense : bon écran et brise-vent. Cônes qui attirent les oiseaux.
Pin sylvestre (Pinus sylvestris)	2	15-21	pyramidale	Populaire comme arbre de Noël. Exige élagage fréquent. N'est pas généralement considéré comme un arbre d'aménagement paysager de qualité.
Pin blanc (Pinus strobus)	3	18-24	ouverte pyramidale	Très rustique. Feuillage doux, vert pâle. Croissance raisonnablement rapide. Exige émondage pour conserver son épaisseur. Arbre officiel de l'Ontario.

Les arbustes

Nom courant	Zone climatique	Hauteur Largeur (mètres)	Besoins	Remarques
Buis (Buxus microphyllia koreana), feuillage persistant	5	0,6 x 0,6	Plein soleil ou ombre partielle. Protégez en hiver. Aime sols acides.	Feuillage dense, vert foncé. Excellente haie basse. Peut être émondé pour haie ou formes fantaisistes. Le plus rustique des buis.
Genêt (à balai) (Cytisus beanii), feuillage caduque	5	0,6 x 0,9	Plein soleil ou ombre partielle. Bon drainage.	Fleur jaune vif au printemps.
Cotoneaster, feuillage caduque ou persistant	2-5	1 x 1 1 x 0,9	Plein soleil ou ombre partielle.	Nombreuses variétés. Celle de Pékin donne une bonne haie. Le type rampant est une excellente plante à jardin de rocailles. Petites fleurs blanches ou rouges. À l'automne, petits fruits rouge vif.
Groseillier (Ribes), feuillage caduque	2	1,8 x 1,5	Plein soleil ou ombre partielle. Apport d'eau régulier. Sujet à la rouille du pin blanc.	Fleurs jaune vif, suivies de fruits rouges ou noirs comestibles. La variété alpine donne une excellente haie.

Nom courant	Zone climatique	Hauteur Largeur (mètres)	Besoins	Remarques
Deutzie (Deutzia lemoinei), feuillage caduque	5	1 x 0,9	Plein soleil mais tolère un peu d'ombre. Apport d'eau et d'engrais régulier pour une floraison abondante.	Croissance rapide. Grappes de fleurs blanches sur les branches de l'année précédente. Écorce intéressante en hiver.
Osier rouge (Cornus), feuillage caduque	2	2 x 1	Plein soleil ou ombre partielle.	Nombreuses variétés, toutes très robustes. Certaines ont de petites branches rouge vif qui apportent de la couleur à l'hiver. Fleurs spectaculaires au printemps, suivies de fruits rouges à bleus qui restent sur l'arbuste longtemps après que le feuillage d'automne soit tombé. Excellent pour attirer les oiseaux.
Sureau (Sambucus), feuillage caduque	3	3 x 3	Plein soleil.	A tout pour plaire: feuillage coloré, fleurs spectaculaires, fruits rouges ou noirs. Croissance

Nom courant	Zone climatique	Hauteur Largeur (mètres)	Besoins	Remarques
Sureau *(suite)*				rapide. Donnez-lui amplement d'espace.
Fusain, feuillage caduque ou persistant	3-6	1 x 0,9 2 x 2	Plein soleil ou ombre partielle.	Recherché surtout pour son feuillage coloré, ses petites fleurs et ses fruits.
Forsythie, feuillage caduque	5	2 x 2	Plein soleil ou ombre partielle. Apport d'eau régulier.	Fleurs jaune vif au début du printemps. Le forsythie *ovata Ottawa* est plus rustique et peut vivre en zone 4. Donne une haie informelle mais attrayante.
Dièreville chèvrefeuille (Lonicera), feuillage caduque	2	2 x 2	Plein soleil ou ombre partielle.	Fleurs blanches, roses, rouges ou jaunes, suivies de baies blanches, rouges, jaunes, bleues ou noires, très attrayantes pour les oiseaux. Donne une bonne haie naturelle.
Hortensia, feuillage caduque	3	0,9 x 0,9 à 7 x 3	Plein soleil ou ombre partielle.	Fleurs blanches à forme de boules de neige au début de l'été.

Nom courant	Zone climatique	Hauteur Largeur (mètres)	Besoins	Remarques
Érable palmé (Acer palmatum) feuillage caduque	5	4 x 4 à 0,9 x 0,9	Plein soleil mais a besoin de protection en zone 5.	Feuillage habituellement rouge vif, parfois vert, ou bigarré de jaune chez certaines variétés.
Genévrier (Juniperus), feuillage persistant	2-5	4 x 0,6 à 0,6 x 1	Plein soleil. Pousse particulièrement bien dans les endroits chauds et secs, c.-à-d. près des édifices ou contre un mur.	Large éventail de grosseurs et de formes: droit comme une fusée, ou complètement horizontal dans le cas du genévrier rampant. Donne une bonne haie de forme classique.
Lilas commun (Syringa), feuillage caduque	2	6 x 4	Plein soleil ou ombre partielle. Sol bien drainé. Enlevez les fleurs fanées pour encourager la floraison.	Grappes de fleurs spectaculaires, dans des teintes de blanc, de bleu et de pourpre. Parfum très prononcé.
Magnolia, feuillage caduque	5	4 x 6	Plein soleil ou ombre partielle. Pousse bien dans les sols argileux.	Certains magnolias fleurissent au printemps avant d'avoir des feuilles. Ils ont besoin d'un endroit qui protège les fleurs contre le gel tardif. Floraison très abondante.

Nom courant	Zone climatique	Hauteur Largeur (mètres)	Besoins	Remarques
Seringa de Lewis (Philadelphus) feuillage caduque	3	1,8 x 1,8	Plein soleil ou ombre partielle. Sol bien drainé.	La plupart ont des fleurs blanches abondantes et spectaculaires et un parfum très prononcé. On peut en faire des haies naturelles.
Troène (Ligustrum), feuillage caduque.	5	1,5 x 1,2	Plein soleil ou ombre partielle. S'accommode bien des conditions de la ville.	Certaines variétés atteignent des dimensions beaucoup plus grandes; d'autres qui poussent en zone 9, ont un feuillage persistant. Petites fleurs blanches et fruits noirs discrets. Feuillage dense: forme une excellente haie.
Cognassier (Chaenomeies) feuillage caduque	5	arbuste: 0,9 x 0,9 arbre fruitier: 3 x 2	Plein soleil, préfère les sols neutres ou légèrement acides.	Fleurs orange-rouge. Fruits jaunes (cydonia oblongo) utilisés en conserves.
Spirée (Spiraea), feuillage caduque	2-5	1,5 x 1,2	Plein soleil.	Forme une bonne haie naturelle. Porte de délicates fleurs blanches, roses ou rouges.

Nom courant	Zone climatique	Hauteur Largeur (mètres)	Besoins	Remarques
Spirée de Van Houtte (Spiraea vanhouttei)	4	1,8 x 1,5	Plein soleil ou ombre partielle.	Très populaire comme écran et comme plante de cour. Produit habituellement des grappes de fleurs blanches spectaculaires à la mi-juin.
Spirée de Fobrel (Spiraea bumalda «Froebelii»)	3	1 x 0,9	Plein soleil ou ombre partielle.	Inestimable comme plante rustique de base. Croissance vigoureuse, quantités abondantes de fleurs couleur cerise de la mi-juin à la fin du mois d'août.
Spirée Goldflame (Spiraea bumalda «Goldflame»)	3	0,9 x 0,6	Plein soleil.	Arbuste nain à fleurs, convient bien aux petites cours et aux jardins de rocailles. Feuillage doré au printemps, suivi d'abondantes fleurs rouge cramoisi jusqu'à la fin de juillet.
Vinaigrier (Rhus), feuillage caduque	3	4 x 3	Plein soleil, sol léger.	Feuilles composées de couleur rouge vif à l'automne. Pyramides de fruits rouges typiques.

Nom courant	Zone climatique	Hauteur Largeur (mètres)	Besoins	Remarques
Vinaigrier *(suite)*				Se propage rapidement par drageons.
Weigela, feuillage caduque	4	3 x 1	Plein soleil ou ombre partielle.	Fleurs bleues, blanches, roses, rouges ou bigarrées. La variété *Bristol Ruby* fleurit au printemps et à l'été.

© Mark Cullen
© 1988, Les Éditions Quebecor, pour la traduction française

Dépôts légaux, 2e trimestre 1988
Bibliothèque nationale du Québec
Bibliothèque nationale du Canada
ISBN 2-89089-460-6

Conception et réalisation graphique de la page couverture:
Bernard Lamy et Carole Garon

Photo de la couverture: Réflexion

IMPRIMERIE
L'ÉCLAIREUR
BEAUCEVILLE
14022